DIVÓRCIO EM BUDA

SÁNDOR MÁRAI

Divórcio em Buda

Tradução do húngaro
Ladislao Szabo

6ª reimpressão

COMPANHIA DAS LETRAS

Copyright © 1993 by Espólio de Sándor Márai
Vörösvary — Weller Publishing, Toronto

Grafia atualizada segundo o Acordo Ortográfico da Língua Portuguesa de 1990, que entrou em vigor no Brasil em 2009.

Título original
Válás Budán

Capa
Raul Loureiro

Imagem de capa
Budapeste, c. 1898. Hulton Archive/ Getty Images

Preparação
Flávio Moura

Revisão
Otacílio Nunes
Olga Cafalcchio

Atualização ortográfica
Adriana Moreira Pedro

Os personagens e as situações desta obra são reais apenas no universo da ficção; não se referem a pessoas e fatos concretos, e não emitem opinião sobre eles.

Dados Internacionais de Catalogação na Publicação (CIP)
(Câmara Brasileira do Livro, SP, Brasil)

Márai, Sándor, 1900-1989
 Divórcio em Buda / Sándor Márai — tradução do húngaro Ladislao Szabo. — 1ª ed. — São Paulo : Companhia das Letras, 2003.

 Título original: Válás Budán.
 ISBN 978-85-359-0440-6

 1. Romance húngaro – I. Título.

03-6354   CDD-869.511

Índice para catálogo sistemático:
1. Romances : Literatura húngara 869.511

Todos os direitos desta edição reservados à
EDITORA SCHWARCZ S.A.
Rua Bandeira Paulista, 702, cj. 32
04532-002 — São Paulo — SP
Telefone: (11) 3707-3500
www.companhiadasletras.com.br
www.blogdacompanhia.com.br
facebook.com/companhiadasletras
instagram.com/companhiadasletras
x.com/cialetras

O que se constrói durante o dia, à noite desmorona.
Balada do folclore da Transilvânia

1.

Setembro deu as graças com um calor extraordinário. Em uma tarde de começo de outono, quando os dias ainda trazem o ardor remanescente, o jovem juiz Kristóf Kömives examinava em seu gabinete documentações referentes a processos de divórcio. Uma o interessava em particular, pois o juiz conhecia remotamente as partes envolvidas. O desventurado herói da audiência a se realizar no dia seguinte, o marido, um jovem médico de talento reconhecido, diretor do laboratório de um dos hospitais da capital, fora colega de escola de Kömives; cursaram juntos os primeiros anos do ginásio e depois costumavam se encontrar em bailes, reuniões e outros eventos sociais da vida universitária. O juiz pensava sempre com carinho nesse colega recatado, de modos suaves e comportamento pudico. Agora, enquanto arrumava os papéis, a figura do médico se apresentava com nitidez especial; recordava-o em um baile remoto, aos vinte e dois ou vinte e três anos, aguardando no lobby luxuoso de um grande hotel. Com um sorriso embaraçado, com a polidez inábil de um homem não acostumado ao mundo, respondia às perguntas afáveis e condescendentes de alguns figurões. No grupo está também ele, o jovem estagiário de direito, repentinamente simpático ao colega esquecido que mal conhece. Um momento de atração repentina sem causa aparente. Depois, como se uma interdição indomável e indefinível os separasse, passam um pelo outro, trocam palavras fáceis e sorrisos amistosos e educados. Essas tentativas inábeis e imperfeitas de aproximação repetem-se regularmente: ao se verem na rua, aproximam-se com um sorriso agradável, mesmo sabendo que de novo nada resultará do encontro. Apenas apertam demoradamente as mãos e murmuram com embaraço palavras indiferentes; sim, como se falassem sobre "outra coisa" — outra? Sobre o quê? O juiz, absorto em seus pensamentos, foi até a janela.

Através da janela aberta, ouviu o ranger das rodas de um caminhão, depois o juiz ouviu ordens dos guardas, o baque de objetos pesados, provavelmente sacos, sons de atividades humanas. A janela de seu escritório abria para a empena da prisão vizinha, coberta de pequenas aberturas; na qualidade de funcionário pouco graduado, em início de carreira, recebeu por enquanto esse espaço pouco confortável no edifício, abafado no verão, mal iluminado nas tardes de inverno; naturalmente, os escritórios com vista para a rua, amplos e confortáveis, eram ocupados pelos juízes mais idosos e de posição superior, e ele mesmo considerava justa e decente essa forma de distribuição. Lá embaixo, no pátio pavimentado, os presos descarregavam uma carroça, colocavam os sacos no ombro e desapareciam em fila indiana pelo alçapão da adega. Fazia três anos que o juiz trabalhava naquele escritório, e todo dia observava por alguns minutos a vida no pátio da prisão; para lá eram conduzidos os presos na hora do passeio, pelo pátio passavam os parentes e amigos dos detidos e condenados, por lá passavam os presos convocados para interrogatório ou audiência no prédio do tribunal. Conhecia exaustivamente aquele quadro, aquele mundo triste e monótono, mas mesmo assim, antes de sair, sempre ia até a janela e o observava atentamente por um tempo, como se mais uma vez quisesse convencer-se de alguma coisa. Havia algo extremamente concreto e objetivo no dia a dia do pátio da prisão, como no pátio de uma fábrica, onde, dentro de uma rotina de trabalho desenvolvida para cada minuto, acontece sempre a mesma coisa — e o que acontecia na prisão talvez não fosse tão assustador e abominável, como um observador não iniciado pudesse acreditar, era apenas triste e sem esperança. Nesse estado de espírito, observava todo dia por alguns instantes a empena da penitenciária e o pátio vigiado, com portas de ferro.

Imre Greiner, o doutor Greiner, pensou distraidamente. Assim se chamava o médico que estava para se separar da esposa. Pouco antes, lera com atenção os dados pessoais do antigo colega de escola, procurando recordações comuns. O doutor Greiner vinha do norte da Hungria, de uma família de origem saxônica da região de Szepes; descobriu que o médico era meio ano mais velho — em junho completara trinta e oito anos, enquanto ele, apesar de terem sido colegas de escola, chegaria a essa idade apenas em dezembro. Essa constatação, não sabia por quê, deixou-o um pouco desanimado. Mas a idade da mulher também o surpreendeu: a senhora Imre Greiner, nascida Anna Fazekas, já tinha passado dos trinta. Calculou e refletiu. Agora que do processo surgiam pessoas de carne e osso, muitos fatos vinham à sua mente: dez anos antes, num verão especialmente quente e abafado, no campo de tênis da ilha Margarida, encontrara Anna Fazekas pela primeira vez; naquela época, a jovem possivelmente não conhecia o doutor Greiner; ao menos não se tinha notícia sobre seu compromisso. Uma noite estão caminhando na ilha em direção à ponte; ele carrega a raquete da moça, Anna Fazekas veste uma roupa de verão com listras brancas e azuis, o caminho é escuro, falam de um passeio pelo Danúbio. No ponto de parada do bonde movido a cavalos, à luz de uma lâmpada de arco, vê o rosto de Anna Fazekas; o perfil da jovem volta-se sorrindo para ele sob a luz tênue, sua voz é totalmente terna; mas é possível que agora apenas imagine esse tom incerto e velado de sua voz. Não estão sós, com eles passeiam uma amiga de Anna Fazekas e um senhor mais velho, o pai da amiga. Antes desse encontro, deve ter visto Anna Fazekas duas, no máximo três vezes; tudo que sabia dela era que seu pai fora inspetor de ensino no interior, que mudaram para Pest depois da aposentadoria dele, e que antes disso a garota já estudava na capital. Anna estava na idade de se casar, e no último ano frequentara muitos bailes. Sobre o que conversavam? Não se lembrava das palavras, mas ainda hoje ouvia a sua voz. Depois caminham em silêncio pela semi-escuridão da rua. Param em uma curva, a moça imediatamente vira para ele, como se quisesse falar algo. Nesse momento vê o seu rosto claro e nítido. Já alcançaram a ponte. Continuam sem uma palavra. No dia seguinte ele viaja de férias, passa quatro semanas em uma estação termal austríaca onde conhece sua futura esposa, casam-se seis meses depois. Nesse período, quando então corteja a esposa e frequenta a sociedade já mantendo um compromisso meio oficial — ainda vai a reuniões, ainda é convidado das famílias com filhas em idade de se casar, embora as mães e meninas interessadas, através de uma rede feminina secreta de informações, saibam que já está noivo —, reencontra Anna Fazekas. A garota é muito vistosa, talvez bonita... Bonita? O juiz olha para o pátio, como se procurasse alguém. A carroça já está vazia, o guarda acompanha dois últimos carregadores em direção à porta de ferro. Não se lembra do rosto de Anna Fazekas.

 Colocou as atas em ordem, os documentos preparatórios estavam de acordo com os requisitos legais; os cônjuges declaravam estar separados havia seis meses e pediam a dissolução do matrimônio sob a alegação de "abandono do teto conjugal".

Sentado, abaixou-se e retirou da gaveta inferior um pacote de cigarros baratos feitos à mão e completou sua cigarreira forrada de couro. De uma outra gaveta apanhou uns cigarros mais distintos, comprados em tabacaria — reservava esses cigarros para as visitas, ele mesmo se contentava com o tipo barato, enrolado em casa por Hertha ou pela empregada, mas agora ia a uma reunião social, talvez precisasse oferecer a alguém; em todo caso, enfiou na cigarreira uns com filtro dourado também. O gesto não lhe saiu com naturalidade; enquanto ajeitava os cigarros finos "para ocasiões especiais", pensou que essas pequenas ocasiões minavam as escassas sobras de seu salário, que poderiam talvez tornar sua vida particular e a dos seus mais confortável, tranquila e folgada — ele se contentaria com o cigarro barato, com outro tipo de roupa, outra casa e também com as formas mais simples de vida social. Os cigarros de filtro dourado eram um tributo que pagava à vida em sociedade — conhecia esse raciocínio à exaustão, mas o pensamento voltou-lhe à mente agora que ia a uma reunião social, onde se sentiria mais ou menos à vontade, e onde, de novo, deveria por obrigação "representar" um pouco. Deu um breve suspiro e, irritado, sorriu. Suspirou, porque a vida, as obrigações supérfluas da sociedade, lhe pareciam um ônus sem sentido. E sorriu, porque não podia modificar esses fatos. Colocou a documentação em ordem e, com gestos familiares e mecânicos, trancou na gaveta os cigarros e alguns objetos de uso pessoal: uma caneta-tinteiro, uma lupa de aumento e um pouco de tinta verde. Apreciava essa cor em especial, e sentia falta dela se por distração ele ou o contínuo a deixassem secar, ou quando o tinteiro não estava sobre sua escrivaninha.

    Anna Fazekas e Imre Greiner, pensou, e colocou as chaves no bolso. Eram seis e meia. A essa hora o grande edifício estava deserto e silencioso. Documentos de outros quatro processos de divórcio estavam espalhados por sua mesa; apanhou um, deu uma olhada, e com ar displicente anexou-o aos outros. Embora tentasse, não conseguia se lembrar quando vira Anna Fazekas pela última vez. Nos últimos anos, o juiz procurara não frequentar a "sociedade" — e por certo havia um motivo para esse retiro silencioso, talvez a família, talvez o salário modesto —, mas talvez tivesse se retirado precocemente para o gabinete e para o círculo familiar; não gostava de pensar nisso, no fundo existia algo que não queria encarar. Ficou sabendo do casamento de Anna Fazekas pelos jornais. Depois, durante anos, nada soube deles. Agora se lembrava do preciso instante em que soube, surpreso, irritado, que Imre Greiner, aquele Imre Greiner de quem sempre se recordava com carinho na escola e mais tarde na faculdade, com quem se encontraria e conversaria com prazer, e com quem nunca soube conversar quando ocasionalmente se encontravam, casara com aquela sua conhecida, que... e aqui parou. Quem era essa Anna Fazekas? Teria significado algo mais para ele do que um conhecimento superficial, até mais do que superficial, secundário, mundano? Quando solteiro, viu-a na quadra de tênis duas ou três vezes, e com certeza encontrou-a mais tarde, depois de seu casamento; mas de passagem, superficialmente, como outras moças e mulheres casadas que até conhecia, embora delas talvez nem soubesse o nome. De todo modo, ficou surpreso de que justamente esse Imre Greiner se casasse com ela, justamente com essa Anna Fazekas, com quem uma vez caminhara na ilha, a garota que por um instante se voltou para ele à meia-luz, como se quisesse dizer algo. Mas ficara em silêncio. E agora jazia sobre sua mesa a documentação da senhora Imre Greiner, nascida Anna Fazekas. "É o jogo da vida", pensou distraído; e deu uma risadinha sarcástica, como se ele se reprovasse a constatação trivial.

Foi a esposa quem abriu o processo. Ela acusava Imre Greiner de "abandono do teto conjugal". Outros três "abandonos do teto conjugal" jaziam neste instante sobre sua escrivaninha, e o juiz encarou com má vontade aquele monte de papéis. Em um processo penal, com certeza teria protestado contra essa incumbência de emitir uma sentença a respeito de pessoas conhecidas — mesmo distantes e até indiferentes, como esse colega de escola era para ele; mas as peças do processo correspondiam aos requisitos, e se nada acontecesse durante esse período, e se a audiência de conciliação não surtisse resultado, no dia seguinte, ao meio-dia, com a força da lei dissolveria o casamento de Imre Greiner e esposa, nascida Anna Fazekas. A circunstância de conhecer os atores do processo de divórcio naturalmente não era motivo para solicitar substituição na condução do caso. E como já tinha posto ordem na mesa, e porque já estava ficando tarde, olhou mais uma vez para o pátio da prisão, certificando-se de que estava vazio, pegou o chapéu, e com passos calmos, caminhando com familiaridade pelos corredores do grande edifício, deixou o gabinete. Na escadaria o velho porteiro cumprimentou-o respeitosamente, com certa intimidade; aquela intimidade quase imperceptível, que um estranho provavelmente não perceberia, chamava a atenção do jovem juiz sempre que chegava ou partia do edifício. Perturbava um pouco sua jovem autoestima, mas ao mesmo tempo lhe dava prazer; era assim que aquele funcionário idoso e subordinado cumprimentava o juiz de posição muito superior, de outro nível social, mas que fazia carreira na mesma estrutura interna de uma organização hierárquica familiar a ambos; e ele sentia essa intimidade, esse apadrinhamento respeitoso, resguardava sua autoridade, e, ao mesmo tempo, respondia com um afável sinal de cabeça, porque aquele velho porteiro de origem camponesa também pertencia àquela grande e complexa família da qual ele era apenas mais um membro elegante e promissor... Parou na porta e acertou os ponteiros de seu relógio de pulso com os da escadaria. Pensou no pátio da prisão, na papelada sobre a mesa, naquela oficial e ao mesmo tempo íntima, profunda familiaridade que reinava no edifício, entre seus ocupantes, juízes, oficiais de gabinete e funcionários; e como já ocorrera muitas vezes antes, foi embora com pesar, de má vontade e hesitante, o último dos juízes a sair — com pesar, como se não quisesse deixar o local de trabalho, hesitante e de má vontade como um monge ao cruzar a porta de seu convento e pisar no mundo. Refletiu sobre essa sensação, que no momento não conseguia explicar de outra maneira senão como um surto de pânico injustificado em relação ao mundo. Parou no degrau superior do portão e olhou ao redor com hesitação. Atrás dele o porteiro fechou e trancou a porta maciça de carvalho.

2.

O convite era para uma reunião social entre o chá da tarde e o jantar — no linguajar em moda na cidade, em tom de gozação, eventos assim eram chamados de "chantar". Os convidados chegavam um pouco antes do jantar, entre as sete e as oito, e eram recebidos com chá, café, vinho e travessas de carne assada e fria; mas a reunião, em idas e vindas descontraídas ao lado de pequenas mesas, costumava se arrastar até altas horas da noite. Esse modo menos solene de organizar o evento naturalmente significava facilidade e menos trabalho para os da casa, comparado com um jantar sério e formal de antigamente; os novos tempos pediam economia, e a classe média, aquela classe com apenas uma empregada, aposentadoria reduzida, salários apertados, escrupulosa e combativa, tentando resguardar uma imagem social de dignidade e refinamento, aquela burguesia tenaz e pudica, solidária na sua própria consciência de classe, procurava com esses expedientes rudimentares remediar a crise da vida social. Os próprios Kömives já haviam recebido assim seus amigos, nessa modesta maneira moderna de "chantar", que procurava substituir os faustosos banquetes de outrora — essa maneira diferente de hospitalidade que conseguia economizar nas despesas, nas tarefas dos anfitriões e da criada encarregada de fazer tudo. A caminho, o juiz refletiu sobre como tudo se decompôs e se modificou naqueles últimos anos, inclusive as formas de convívio social. Ele conhecia e gostava dessa humilde classe média senhorial da qual fazia parte; sentia-a como uma única e grande família, em cujos costumes sociais percebia o mito da família, cujo gosto era o mesmo que o seu; no trabalho, e inclusive na vida particular, sentia-se responsável por seu bem-estar e segurança.

Atravessou lentamente a ponte em direção a Buda; tirou o chapéu, caminhava com vagar, de modo meditativo, e quem o visse assim, a andar no fim de tarde entre a multidão apressada a retornar do trabalho para casa, com os braços cruzados nas costas, o tronco ligeiramente curvado, os passos lentos e distraídos e o olhar voltado para o chão, poderia considerá-lo mais velho do que ele na verdade era. Kristóf Kömives estava ficando precocemente grisalho e, nos últimos anos, desde que alcançara seu posto, uma vez que passava praticamente o dia inteiro sentado, imóvel, ganhara peso. Essa condição física o incomodava. No íntimo repudiava toda forma de preguiça, inclusive a confortável preguiça do corpo — inclinava-se a valorizar o ascetismo, exercitava-se com boa vontade e aprovava as formas de ginástica em voga. Quem cedesse excessivamente às solicitações de conforto e outras exigências do corpo, em sua opinião, ficava com o espírito fraco, com a alma flácida. Em verdade não era ainda gordo. Tinha hábitos sóbrios, era contido tanto na comida como na bebida. Mas fazia alguns anos que seu organismo fora tomado por essa decadência, por essa indisciplina, que observava com desconfiança, quase com menosprezo, e contra a qual de tempos em tempos lutava resolutamente para modificar seus hábitos. Ainda não chegara a ponto de adotar um desses regimes alimentares em moda, pois considerava-os pouco dignos, coisa de mulher. Mas já se pegara em divagações sobre a questão, a questão do estado de seu corpo. Parecia ter mais que a sua verdadeira idade, parecia um senhor bem estabelecido na faixa dos quarenta, com as têmporas fortemente grisalhas, que cultivava uma barriga notável. Chegava a comentar sobre esse estado físico com os amigos mais íntimos, evidentemente em tom de piada. "Barriga confere respeitabilidade", eles costumavam dizer, e ele sentia que, de sua parte, procurava expressar fisicamente essa respeitabilidade para, de certa forma, contrabalançar sua juventude; com sua aparência, maneira de falar e modo de vida, ressaltava a autoridade do burguês e do juiz; de todo modo, se quisesse ser sincero, teria de confessar que andava relaxado nos últimos tempos. Esse processo era mais complexo, muitas vezes ocupava com certa profundidade seus pensamentos, causando-lhe desprazer. Sua tendência a adquirir peso tirava-lhe o bom humor — pois alcançara um pouco cedo demais essa característica física, talvez antes do tempo, como tudo em sua vida: os primeiros degraus na carreira, os problemas familiares, a rotina, a respeitabilidade. Qual era a causa dessa pressa? Algumas vezes, em momentos inquietos e nebulosos, pensava ser a morte; uma profunda, secreta, certamente não "moral" vontade de morrer ou um medo de morrer — e já fazia um tempo que acreditava que ambos eram a mesma coisa. Esse "fazia um tempo", no calendário especial da vida privada, era calculado a partir de um momento bem definido: aquele momento, um ano e meio atrás, em que sentira uma vertigem estranha no intervalo entre duas audiências, mal-estar que voltou a se repetir a intervalos não previsíveis. Era uma tontura aterrorizante, amedrontadora e indecorosa; havia algo de humilhante nela, indigno de sua autoridade; não era conveniente nem ao juiz, nem ao burguês, e Kristóf Kömives, em segredo, no fundo de sua consciência, desprezava-se por causa dela.

Naturalmente, nada podia fazer... Um distúrbio físico, um mal passageiro, cansaço, assim disse também o médico; mas quando pouco depois do primeiro "ataque" veio um segundo, um terceiro, quando teve de voltar para casa de carro na hora do almoço, porque a tontura o surpreendeu num passeio tranquilo, Kömives foi ao médico para ser examinado muitas vezes, de muitas maneiras. Depois lhe asseguraram que "não tinha nenhum distúrbio orgânico"; seu coração estava saudável — na família, tanto por parte de pai como de mãe se alcançava idade avançada — e ele sempre tivera uma conduta moderada: tratava-se apenas de um leve esgotamento nervoso. O diagnóstico e os conselhos médicos o tranquilizaram. Durante alguns meses foi mais cauteloso com o tabaco — fumar era seu único grande vício, a que não podia, nem queria, renunciar — e, de fato, começou a sentir-se melhor. Aquelas pequenas cintilações, pequenos formigamentos, tonturas que duravam poucos instantes e pareciam leves desmaios, não se repetiram no último ano, pelo menos não se repetiram de maneira tão decidida, inequívoca e humilhante. Sim, agora sentia-se muito melhor. Vida comedida, poucos cigarros e charutos, menos trabalho, talvez um pouco de exercício, um esporte leve, caminhadas — já havia alguns meses ia a pé de manhã para o trabalho e voltava à noite também caminhando —, tudo isso sem dúvida ajudou. Aquela sensação vergonhosa e humilhante de que está para acontecer alguma coisa, de que... bem, de que algo execrável, indigno, está a ponto de ser descoberto... aquela sensação não voltou. Mas seu sabor ficou registrado em algum lugar de seu sistema nervoso.

É, os nervos. Hoje em dia todo mundo era "nervoso"; e Kömives desprezava a neurastenia, considerava-a de alguma maneira imoral. Não formulava seu desprezo nesses termos, mas pensava vagamente, de modo nebuloso, que uma pessoa decente e honesta não pode ser nervosa — claro, era outro caso se a pessoa estivesse sobrecarregada ou tivesse adquirido ou herdado um problema psicológico. De resto, repudiava essa palavra de ordem, essa desculpa, essa justificação gratuita em moda que permitia de maneira fácil e superficial não assumir responsabilidade por um problema sério e complexo. Uma pessoa pode estar "doente" ou "com saúde", mas em nenhum caso "nervosa": era assim que pensava, e expressava essa opinião até em sua cadeira de juiz. Esse mundo neurastênico, lamurioso, sem limites e irresponsável que manifestava excessivamente seus choros e desejos — como ele repudiava esses casamentos "modernos" e neuróticos, do qual marido e mulher fugiam com tamanha facilidade para a frente do juiz! Como repudiava esses criminosos "neuróticos", que se justificam apelando para traumas imaginários da juventude, batendo no peito diante do juiz, sustentando que, apesar de sua vontade e boa intenção, foram conduzidos ao crime devido a uma "propensão" e uma "compulsão irrefreável"! Kömives não acreditava em compulsões irrefreáveis. A vida são deveres, que devem ser cumpridos; naturalmente deveres pesados e complexos, que algumas vezes devem ser suportados com sacrifício. Era assim que pensava. Sabia compadecer-se e ter compaixão pelas pessoas, mas não conseguia absolvê-las. Acreditava piamente na vontade; a vontade é tudo, era isso que pregava, vontade e obediência espontânea e voluntária; ou, com palavras mais suaves: humildade, apenas a humildade cristã podia conduzir as pessoas atormentadas pelos fatos insuportáveis — não seria exagerada essa palavra, por demais em conformidade com os tempos, por demais grandiloquente? —, pelas crises dificilmente suportáveis da vida. Insuportáveis? Mais uma vez ponderou a respeito da palavra. Gostava de avaliar com minúcia o peso das palavras, aprendeu a examinar o verdadeiro sentido das palavras ditas ao acaso, e verificava particularmente as que julgava "suspeitas", soltas durante uma conversa ou um raciocínio pelos subterrâneos da mente, sem a supervisão da razão. A vida era insuportável? Kömives não tinha em alta conta essa civilização que crepitava ao seu redor com anúncios luminosos e ruídos de automóvel; conhecia a força repressiva dessa civilização, contava com sua censura, e apreciava os esconderijos, as defesas regulamentadas, que permitiam ao homem moderno, com seus instintos refreados, se refugiar. Naturalmente, essa censura tinha um preço; mas poderia ser de outra maneira? Era tarefa sua, a tarefa de um juiz, refrear os instintos revoltados com a disciplina da civilização; nunca um juiz teve uma missão tão importante de resguardo e educação da sociedade como nesses tempos conturbados; e Kömives assumia inteiramente essa missão, procurava servir com a melhor das intenções, com toda a fé. Nos dias de hoje, não cabia ao juiz só punir o criminoso e proteger a vítima inocente! Mais, tratava-se do todo, de toda a civilização, da paz de uma sociedade, das formas, da força das formas que conservavam e davam vida, que misteriosas e suspeitas mãos rasgavam e sujavam... De qualquer modo, ele permaneceria alerta em seu posto! Merecia essa civilização a defesa incondicional? Era inocente? Que reserva moral tinha essa civilização motorizada e hedonista? E aquela estranha vertigem, aquela insignificante tontura, sem causas físicas ou orgânicas, graças a Deus, essa rebelião complicada, um pouco humilhante, dos nervos, não estaria secretamente relacionada com essa dúvida que nutria no fundo da consciência, em relação à validade das formas dominantes e ao conteúdo moral da civilização defendido a todo custo? Eram perguntas que Kömives teria rechaçado com determinação, secamente, do alto da sua tribuna de magistrado — perguntas além de tudo "modernas", que emergem de tempos em tempos das misteriosas águas profundas da alma e as quais Kömives relutava em responder. Ele também não acreditava mais nos idílios da sociedade. A sociedade procurava novas formas de vida; era sua tarefa, a tarefa do juiz, zelar por aqueles que, em sã consciência ou nem tanto, ou apenas por fraqueza, covardia, por insegurança de nervos ou caráter, protestavam contra a censura da antiga sociedade.

O juiz Kömives ainda era jovem; e assim como seu corpo se amoldara ao ofício, à vocação, do mesmo modo ele construíra para si uma espécie de nicho espiritual, dentro do qual podia conviver com suas convicções e dúvidas. Examinara profundamente as primeiras, e as defendia em voz alta. Sua tarefa era salvar, preservar; a terrível responsabilidade da edificação tinha de ser delegada aos outros. Mantinha as dúvidas fechadas em seu próprio mundo, o mundo da família e da carreira. Ninguém poderia acusá-lo de comodismo ou covardia, tampouco se rendia incondicionalmente às exigências da profissão, do Estado e da sociedade — Kömives não fechava os olhos às dúvidas, procurava encará-las. Tinha total consciência da própria independência, de sua autoridade profissional, e de toda a responsabilidade que dela derivava. Tinha de julgar com rigor, à letra, dentro do espírito da lei. Mas de vez em quando, ao mirar o turbilhão, o turbilhão do tempo, sentia que a lei se defasara; a lei não dava conta de prever essa decomposição, esse vórtice que varria e mandava para o espaço tudo que fora projetado para ser seu fundamento — a lei, em sua implacável coerência, às vezes parecia débil e ineficaz ante a arbitrariedade do tempo. Ele, o juiz, era obrigado a dar um conteúdo contemporâneo à letra da lei; atrás de um processo sobre um galinheiro qualquer, sorria ironicamente, com caretas aterrorizantes, o "todo", uma geração que discursava de boca cheia sobre a necessidade de construir mas cavava com as duas mãos entre os escombros da destruição. "Agora levante e julgue!", pensava às vezes. E ele levantava e julgava, com a melhor das convicções, dentro do espírito da lei, de modo irrepreensível. "Que ofício!", pensava de vez em quando, cansado. Mas naquele mesmo momento erguia a cabeça e dizia com orgulho: "Sim, que ofício! — penoso e sublime, sobre-humano e digno de um ser humano!". Seria também desse modo que sentia o "aparato" em torno dele, a grande engrenagem da justiça, que ninguém conseguia substituir por algo melhor, e da qual as pessoas eram apenas pequenos e sensíveis componentes? Entre os juízes mais idosos, sob cuja guarda se formara, havia mais de um que sentia a responsabilidade dos novos tempos; estes sabiam que agora se tratava do "todo" — sim, além da letra da lei, além do ideal da "verdade", tratava-se de neutralizar um perigo objetivo e tangível. Devia-se salvar a sociedade, não apenas as formas, mas o próprio conteúdo, os homens de carne e osso, a alma das crianças e a vida dos adultos, e salvar também o cenário apropriado, os dois dormitórios e cozinha, ou os três dormitórios, o vestíbulo, o holerite do assalariado, o crédito do comerciante... Comentava-se a respeito dentro do "aparato"? Raramente, mas era nisso que ele pensava quando pronunciava a sentença.

Era realmente nisso que pensava todas as vezes? Parou no meio da ponte, como fazia todas as noites, encostou no peitoril, suspirou, e, piscando, com o olhar míope, mirou a paisagem urbana que escurecia ao pôr do sol. Aqui, na margem esquerda do antigo caminho fluvial, estava Peste, a nova, a grande cidade, com suas edificações imponentes, seus prédios de fachada moderna, pintados em cor gritante, onde, entre paredes finas que permitiam a passagem de qualquer ruído, habitavam seus neuróticos contemporâneos, e onde as mulheres cultivavam cactos em pequenas prateleiras de livros sobre as camas e colchas cobertas com tecidos listrados, livros que procuravam iluminar a nova face do mundo, livros céticos, inquietantes, livros que explicavam e impiedosamente explicitavam regras, que de tempos em tempos despertavam a atenção da procuradoria, e sobre os quais ele, o juiz, também tinha de emitir um parecer oficial. Procurava ler esses livros, mas ao mesmo tempo temia comprometer com eles seu equilíbrio espiritual e sua humildade. Jazia aqui, na margem esquerda, com suas grandes pedras e seus tumores de concreto, a nova cidade, abarrotada de dúvidas e pessoas inquietas, que faziam brotar dinheiro do deserto de pedra, cheias de "neuroses", de excitação, de instintos refreados com dificuldade, e que acreditavam e amavam, falavam e escutavam de maneiras tão diferentes, ficavam doentes e saudáveis, felizes e desesperadas de maneiras tão diferentes, e no fim cabia a ele emitir sentença sobre elas! Conhecia essas pessoas, entendia-as na sua totalidade, nas suas verdadeiras intenções? Achava tão estranha aquela fachada de vida de linhas despojadas, pintada em cores gritantes! As formas externas anunciavam a "objetividade" dessa vida nova e estranha — mas atrás da objetividade artificial escondiam-se a confusão e a dúvida, uma dúvida radicada nas entranhas da alma, dúvida contra tudo que fosse norma, direito estabelecido, *principium*. Kömives, com o rosto apoiado na palma das mãos, mirava essa cidade estranha e ao mesmo tempo conhecida; a grande cidade, a cidade pecadora, a cidade desorientada que, com uma respiração asmática, desejava dinheiro, prazeres e poder; a cidade onde o pensamento, a moda, a ciência e o comércio relacionavam-se com o Ocidente, com o mundo externo, através dos vasos capilares do mundo financeiro; a cidade que tomou emprestadas novas formas, digeridas ou apenas mal digeridas, e andava vestida ora com trapos, ora conforme os últimos padrões europeus de moda — Kömives olhava a cidade e a sentia estranha. Era de uma grandeza informe e, à mercê de uma estranha inquietação, moldava-se por gostos exóticos; todas as manhãs, quando atravessava o rio em direção ao gabinete, onde iria julgar os dilemas, desejos e pecados da cidade, era acometido pela mesma perturbação e hesitação que sentia antigamente, na época de estudante, ao descer na estação central do trem expresso que o trazia de sua cidade natal no interior, e por muito tempo sentia não ser capaz de entender completamente o que falavam as pessoas da capital. Era bem verdade que ele ainda falava com o sotaque dialetal do norte da Hungria; pensou nisso e sorriu.

Lentamente, voltou-se para os edifícios históricos da margem direita e olhou aquela cena familiar um pouco aliviado, como quem finalmente chega em casa. A disposição dos edifícios daquela margem do rio refletia a solenidade do passado: ruínas veneráveis e bem-conservadas, edificações sacras sob a cúpula de vidro cristalino iluminada pelo sol de outono. Por um longo tempo, quase comovido, olhou a paisagem de Buda: o jardim do castelo nas cores de setembro, as copas lânguidas das castanheiras das margens, os edifícios históricos que guardavam e exprimiam algo inestimável que para ele, Kömives, era mais que memória e tradição. Sentia a mesma intimidade genuína e a alegria que se experimentam em família, na propriedade, quando observava, amparados por andaimes, os nobres escombros da Igreja de São Mateus, aquela da coroação, quando contemplava os edifícios públicos que se agarravam ao alto das colinas como os antigos castelos dos cavaleiros medievais, expressão em pedra e armadura do pensamento histórico, e, atrás, os velhos bairros quietos e encolhidos, cujos nomes das ruas anunciavam os antigos ofícios de seus moradores. Ele tinha algo em comum com tudo aquilo, sentia-se estreitamente ligado àquele mundo. Não podia acreditar que aquele pensamento histórico, expresso atemporalmente na fachada um pouco altissonante do castelo, tivesse entrado em declínio. Se nesses tempos cada um resguardasse seu posto, se ele, o juiz, também o resguardasse, se todos cumprissem seu dever, talvez se pudesse salvar a família à qual pertencia, à qual jurara fidelidade, essa grande, imensa família! Olhou ao redor com seus olhos míopes. Essas palavras: "resguardar seu posto" e "cumprir o dever" tinham para ele um conteúdo simples, acessível, absolutamente despretensioso. Sua convicção de pertencer àquela grande família era simples e profunda. O que era na prática esse "dever", no exercício isento de *pathos* do dia a dia? Apegar-se ao existente, àquela santa tradição, às formas simples da vida, aos preceitos precisos da convivência; apegar-se a tudo que é visível e demonstrável, à realidade, ao sentimento, à vontade e à memória coletiva, e silenciar tudo que seja dúvida, desagregação, ambição instintiva, irresponsabilidade individual. Para ele, as palavras "humildade" e "renúncia" viviam no seu significado primordial, vigoroso: eram mais fortes e diretas que os mandamentos da religião. Pois no fundo da consciência da família, nas novas gerações algo fermentava: uma insatisfação que procurava vocábulos comuns para se exprimir; os jovens da família encontravam-se nos abismos do extremismo político, e o único ponto em que concordavam era a certeza de que a insatisfação social não podia ser neutralizada pela geração em declínio, cujos instrumentos de devotada filantropia rangiam enferrujados. Nas profundezas e nas alturas das habitações burguesas, os jovens preparavam-se para alguma coisa! Kömives intuía essa fermentação em cada fibra de seu corpo, e sentia também que não pertencia mais ao mundo dos jovens.

3.

Kristóf Kömives nasceu exatamente na fronteira, na fronteira entre dois mundos; algumas vezes acreditava ter sido num momento histórico dolorosamente intrincado; na virada do milênio, quando a classe burguesa ainda usufruía com abundância e segurança os bens da propriedade familiar, o país, com suas vastas fronteiras naturais, ainda não estava mutilado, abraçava classes e etnias, e os proprietários que usufruíam o idílio da paz eram advertidos do perigo que se aproximava apenas por sinais luminosos obsessivos de movimentos subterrâneos, por ruídos confusos de abalos sísmicos distantes. Quem tinha tempo de prestar atenção nisso? A vida brilhava como um gracioso ornamento dominical. Kömives nascera no limiar da última década de paz, de uma família de posses da pequena nobreza. Já sua mãe viera da burguesia de origem saxônica: dela Kristóf talvez tivesse herdado uma certa suavidade, um sentimento de vida pouco resolvido, uma suscetibilidade ao "invisível", ao "imperceptível"; mas essa tendência felizmente se misturou com a rigidez calada, pagã e comedida de seu pai. Gabor Kömives, o pai, descendia de uma antiga e famosa estirpe de juízes; o avô, um certo Kristóf Kömives, o primeiro com esse nome, era um dos juízes mais importantes do país; a profissão de juiz passava naturalmente de pai para filho na família. Os Kömives eram juízes não só porque o avô também fora, ou porque o bisavô, um jurisconsulto, fora diretor e mais tarde *konziliarius* das terras da coroa: evidentemente, uma tendência mais profunda e misteriosa atraía-os para o direito, para o serviço da justiça, para a lei. Eram juízes, havia sete gerações serviam à letra da lei, a família estava repleta de advogados que adornavam suas falas e pensamentos com citações em latim, juízes da velha guarda para os quais o gabinete era mais um cargo que um salário, que pomposamente tomavam posse em um salão nobre e se aposentavam pobres. Era uma família de juristas, como muitas famílias da pequena nobreza intelectual húngara; de algum modo, os descendentes tinham uma relação de sangue, um vínculo familiar com tudo que fosse lei e direito; e sua erudição latina ainda podia ser sentida na mentalidade dos descendentes mais recentes. Kristóf Kömives, o filho do célebre presidente do Tribunal do final do século, foi naturalmente educado dentro daquele espírito severo, racional e humanista tradicional na família. Seu pai casara-se duas vezes e Kristóf era filho da segunda união, com a jovem filha de um médico de Késmárk; na ocasião o pai já passara dos cinquenta anos e alcançara o ápice da carreira e do prestígio. Aquele segundo casamento, que, segundo todos os sinais externos, fora produto da predisposição e do sentimento de afeto, terminou de maneira infeliz, ou pelo menos "irregular", de uma "irregularidade" desconcertante, que escarnecia de todas as tradições e regras familiares: a segunda mulher, oito anos depois dos laços do matrimônio, quando o primogênito mal completara seis anos, simplesmente saiu de casa para casar-se com o engenheiro-chefe do município; Kristóf nunca conseguiu entender totalmente esse "enigma", essa rebeldia, essa arbitrariedade incompreensível. O golpe fez seu pai adoecer; a rebelião da mulher, de alguma maneira, deve ter ferido seu ponto de equilíbrio secreto, no qual um homem se ancora, no qual se é na totalidade, no qual se é inalterável. Parece que a mãe também não aguentou o drama da fuga, talvez tivesse se decidido a isso tarde demais, e as forças vitais se exauriram nesse invisível e tardio conflito da consciência — três anos depois da separação, sem ao menos esquentar o ambiente do novo lar, faleceu de febre puerperal. Kristóf nunca conheceu seu meio-irmão, um garoto doentio; a criança partiu da cidade com o pai, o engenheiro desconcertado e precocemente golpeado pela vida — e aquele estranho misterioso, como mais tarde Kristóf ficou sabendo, era tudo menos "sedutor": devia ser um sujeito fraco e tímido, arrastado a uma aventura burguesa pela impulsividade desesperada da mulher, e o menino morreu durante a guerra; não propriamente no fronte, não foi uma "morte heróica" — simplesmente se resfriou no escritório do quartel onde cumpria um serviço secundário, e alguns dias depois morreu em consequência de uma pneumonia.

Depois desse infeliz segundo casamento, Gabor Kömives viveu a parte restante de sua vida na solidão; àquela época já vivia na capital, e foi durante as duas últimas décadas de sua carreira de juiz que alcançou a fama e transformou-se em exemplo a ser seguido. Talvez nem tenha subido tanto na carreira oficial como seus colegas mais ambiciosos ou mais afortunados — manteve-se presidente da corte de apelação por toda a vida —, mas, mesmo antes, no tribunal, depois na corte, era tido como um dos melhores; o grande público pronunciava seu nome respeitosamente, com uma mistura de reverência e devoção reservada apenas aos "grandes juízes", aqueles que, de um lado, são profundos conhecedores do coração humano e, de outro, são a encarnação da Lei, e que em sua infalibilidade, sim, sua rígida e impiedosa imparcialidade, são capazes de ao mesmo tempo assustar e tranquilizar a sociedade que procura o amparo da justiça. Essa era a sua fama. Jovens juízes escolhiam-no como modelo a seguir, imitavam sua maneira silenciosa, desapaixonada e profunda de conduzir o processo: Gabor Kömives mantinha a ordem com o olhar e gestos de mão; com um aceno de cabeça ou um gélido olhar surpreso mantinha-se senhor da situação em meio aos ânimos exacerbados do Tribunal. Nunca discutia com os advogados, réus ou testemunhas; personalidade forte que era, entrava no Tribunal de modo inapelável, universal e inacessível — ninguém ficava imune à sua influência, e na época, nesse mundo fechado que proliferava em torno do "direito", falava-se nele como o grande mestre, o magistrado que "criou uma escola". Naturalmente, nunca passou pela cabeça de Gabor Kömives "criar uma escola" — tal influência humana e individual dentro de um ambiente profissional somente possui força de irradiação quando é involuntária, quase inconsciente. Sentava na tribuna de magistrado como um grande senhor que distribui justiça com sua livre sabedoria; talvez apenas seus antepassados pagãos tenham julgado seus escravos com essa segurança aristocrática, essa autoridade de chefe da família; ou seus antecessores da pequena nobreza, cujo rastro podia acompanhar até a época dos Anjous, que tinham o mesmo modo de distribuir justiça que se via preservado nos gestos de mão do descendente tardio. Poucos sabiam que, havia uma década, aquele ídolo orgulhoso e inacessível, de palavras comedidas, reinando imperturbável sobre todas as paixões humanas, era interiormente uma ruína, mais miserável e infeliz que um doente paralítico, repleto de feridas e dúvidas, num desespero disfarçado com uma força sobre-humana. Mesmo Kristóf percebeu apenas na idade adulta o colapso interior de seu pai.

Tratava-se de um fato simples: ele ainda gostava daquela mulher, da segunda esposa; a primeira, que lhe dera uma filha mulher, ele conseguira enterrar sem grandes comoções. Mas a segunda doeu. Não só porque fora embora de maneira "irregular", contrária à mentalidade dos Kömives, rebelando-se contra tradições, regras familiares e bons modos; existia nele, é claro, esse ressentimento, não fora fácil para aquele espírito orgulhoso aguentar o golpe; mas o veneno da dor não vinha apenas do amor-próprio ferido. Doía porque ela fora embora, doía porque ele gostava dela. O que tinha acontecido entre eles? Kristóf nunca soube. Depois da morte do pai, entre as muitas gavetas da grande escrivaninha, encontrou uns papéis amarrados por uma fita preta: cartas da época do noivado entre o pai e a segunda mulher, pudicas e discretas, timidamente confidenciais, pequenas anotações, o caderno com apontamentos domésticos da mãe, receitas anotadas à mão, pequenas listas de compras, mensagens apressadas escritas a lápis; mesmo insignificante, tudo que se referisse à mulher, que se relacionasse a ela, que tivesse os traços de sua mão ou evocasse lembranças da vida a dois — por exemplo, notas fiscais de um hotel em uma estação termal tcheca, dos primeiros tempos do matrimônio —, tudo fora cuidadosamente recolhido, guardado e amarrado com uma fita preta. A vida estava toda lá, o melhor e o pior que a vida oferecera a seu pai. Kristóf começou a ler, nervoso, as cartas inocentes; depois, por falso pudor, pensou em queimar as recordações sem nem ao menos lê-las, eloquentes atas de uma tragédia consumada, irresolvida, nunca esclarecida; mas mudou de ideia: aqueles documentos não guardavam o segredo das duas pessoas que lhe deram a vida? Não teria direito àquele segredo? De todo modo, as cartas não revelavam nada, pois eram redações pudicas e comedidas de dois estranhos, um homem e uma mulher que se escreviam para sondar o terreno, duas pessoas que não se conhecem, que têm medo de cada palavra e têm profunda consciência da reserva que mantêm. Uma carta da mãe, escrita pouco antes do casamento, terminava nestes termos: "Farei de tudo para que você confie em mim". Kristóf guardou a carta e não tocou mais na coleção confidencial, mas a frase ecoou por um bom tempo dentro dele, como um grito desnorteado. Só escreve assim, pensou, quem tem medo de aceitar a confiança de um homem. Então se lembrou do pai, que guardou o segredo até o último instante. Entendeu que ele amara aquela mulher, a quem perdoaria tudo: fuga, infidelidade — que palavras são essas quando se ama?, pensou com um ligeiro arrepio.

As crianças estudaram num internato. Nas férias e nos feriados, retornavam à casa paterna de três cantos do país; mas essa "casa paterna" agora era apenas um apartamento alugado no segundo andar de um edifício. O pai tinha vendido a velha casa no norte da Hungria quando mudaram para a capital. A mulher que dirigia o lar do juiz, agora envelhecido, era uma parente distante, aquela parente pobre que vivia com sobressaltos toleráveis à sombra dos parentes chiques e nem com as crianças se atrevia a falar em tom de mãe substituta. O filho menor, o irmão mais jovem de Kristóf, estudava numa escola militar; Emma, a meia-irmã, era criada por freiras numa cidade do interior; e ele ficou nas proximidades do pai, a meia hora da capital, num colégio de padres. As férias sempre transcorriam num clima de embaraço, de transtorno; era como se eles tivessem omitido algo, a apresentação ou uma conversa fundamental e inevitável, aquela conversa que torna tudo mais claro e simples, em que um fica sabendo do outro, os segredos se diluem e, mesmo que não se abracem, eles encontram uma voz comum que atenua as diferenças dos membros da família. Mas, naturalmente, nunca houve ocasião para essa conversa; por muito tempo, Kristóf esperou que alguém a iniciasse, talvez o irmão mais jovem, no qual a educação militar não conseguira sufocar certa fome de mãe, uma saudade de vida familiar, e dos três fora ele quem mais sofrera a solidão — a meia-irmã era extraordinariamente serena, despretensiosa e desapaixonada, como se tivesse acabado de acordar de um sonho monótono e não esperasse nada especial do dia —, assim, logo percebeu que na verdade não existe esse tipo de conversa, que não se podem resolver com palavras as situações reais da vida, que elas são duras e densas, como antiquíssimas formações rochosas, que as relações entre os indivíduos da família já eram inalteráveis e talvez apenas um terremoto, uma catástrofe natural poderia modificar a situação deles e a sua convivência. Mas assim como não existe esse tipo de conversa que Kristóf desejava secretamente em sua infância, também não ocorre, ou pelo menos é raro ou remoto, esse tipo de catástrofe que tudo dilui, que reduz a pó a rigidez e as matérias vitais estranhas; talvez a morte de seu pai pudesse ter sido isso — mas essa morte não conseguiu dissolver o que na vida dos filhos já estava cristalizado. As férias, as folgas que os irmãos passaram na casa do pai estavam repletas daquela espera angustiante, durante o almoço e o jantar Kristóf remexia-se constantemente, como se tivesse certeza de que alguém agora ia falar, o pai ou o irmão menor; olhariam um para o outro, colocariam o garfo no prato e então "algo aconteceria". Mas nunca acontecia alguma coisa. A cada ano o pai se tornava mais severo à mesa ou nas visitas breves e solenes que fazia aos colégios — cada vez mais era "pai", inapelável, preciso, perguntando e já respondendo como um médico, ou... sim, como um juiz. Algo se rompera dentro dele, e o homem ferido era apenas defesa, concisão, reserva intransponível. Durante muito tempo Kristóf sentiu nesse comportamento uma rigidez insolúvel; quando soube que ele ocultava os restos de uma catástrofe atrás desse biombo, onde repousava solitário entre os refugos da vida, como Jó no mar de imundície, desde anos, desde décadas, sem um lamento, sem um consolo, sem esperança, foi tomado por um profundo sentimento de culpa. Eles, as crianças, inconscientemente, ou talvez com uma crueldade não tão inconsciente, deixaram o pai sozinho em sua miséria. Essa "miséria" era orgulhosa, arrogante, e por muito tempo Kristóf acreditou que fosse viril. Mais tarde sua opinião mudou a respeito dessa "virilidade": ser "viril", considerou, não significava arruinar-se com algo que não se consegue suportar — talvez fosse mais viril regatear, procurar uma solução na medida do possível, e "aguentar as consequências" quem sabe não fosse mais que baixar a cabeça e mostrar as feridas, ainda que uma espécie de agremiação invisível, com seu regulamento nunca redigido, tivesse uma opinião diversa sobre o assunto. Mas quando soube disso já era tarde; o pai tinha levantado barricadas em todos os caminhos que poderiam conduzir a ele.

Morreu três anos depois da guerra, de uma doença dolorosa, após um longo sofrimento suportado com dignidade sobre-humana. A alma infectada deu consentimento para o corpo morrer, como se dissesse: "Agora já pode, finalmente". O esquartejamento do país e o interlúdio comunista deram o golpe de misericórdia para a alma despedaçada. O tempo o golpeou onde a alma já não conseguia se defender; arrastou por um período as feridas da vida privada, mas sucumbiu às feridas da família e da pátria. Muitos daquela classe e daquela geração sucumbiram assim, e certamente não eram pessoas medíocres. Para o pai, a pátria representava o coletivo final da família, algo inalterável, cujo destino dentro da hierarquia familiar exigia total responsabilidade dos membros de hierarquia superior. Acolheu o golpe do destino na íntegra, física e espiritualmente, como se tivessem mutilado corpos de familiares, como se a infâmia que ferira o país tivesse ofendido o núcleo mais íntimo de sua família. Sua agonia foi também uma prestação de contas, um acerto de quem reconhece a responsabilidade pelo que aconteceu e agora paga à sua maneira. Sabia que ele, o pai, em pessoa, e os outros, os pais da nação, haviam fracassado. Mesmo que ninguém cobrasse esse fracasso deles, mesmo que as crianças não compreendessem o significado do fracasso, haviam fracassado — se bem que, ainda que de modo artificial, e pagando um preço terrível, teria sido possível postergar o acerto. Ficou meses na cama, doente; só perdeu a paciência na última semana, e então, algumas horas antes da batalha final, ergueu-se penosamente num momento em que ninguém o vigiava, arrastou-se até o escritório, tirou de uma gaveta um velho revólver e tentou dar um fim a tudo aquilo. Caiu com o revólver na mão e ficou estirado no chão do escritório, imóvel, paralisado sob os quadros que retratavam os membros da família; foi encontrado nessa posição, inconsciente. Horas mais tarde, entrou em agonia. O revólver com o qual procurou apressar seu fim, sem contudo ter dado o golpe de misericórdia, e alguns retratos da família foi tudo que Kristóf manteve do legado de seu pai. Entre os quadros, sobrou uma antiga foto de sua mãe colorida à mão: ela estava com o pequeno Kristóf nos braços, de blusa preta, com um broche de camafeu no colo e um olhar interrogativo e desconfiado, como se perguntasse: "Tenho ou não tenho razão?". Tiraram a foto nos primeiros tempos do casamento. Kömives guardava-a no escritório de sua casa, pendurada na parede, sobre a escrivaninha, defronte ao retrato do pai.

4.

Foi educado num colégio de padres do qual tinha boas recordações. Kömives era um homem profundamente religioso, de uma religiosidade pessoal, que não é fruto da educação. O pai, a sua maneira, cumpria os mandamentos da religião, aparecia na igreja em ocasiões festivas, recebia a comunhão na Páscoa; mas Kristóf nunca soube que se confessasse com regularidade, nunca o surpreendeu fazendo exercícios espirituais voluntários, não se lembrava de tê-lo ouvido falar sobre devoção religiosa e não se interessava pelo íntimo e complexo campo de seu desenvolvimento espiritual. Uma vez por ano, na tarde de 31 de dezembro, levava os filhos à catedral. Sentavam-se num dos últimos bancos da igreja imersa na penumbra, lotada de pessoas que nos outros dias não colocariam os pés na casa de Deus, mas que nessa tarde, quando a consciência faz seu balanço, eram conduzidos para lá por medo, culpa, esperança e desespero; conduzidos ao Desconhecido, que os escuta mas não oferece respostas; que toma conhecimento mas nunca questiona — pessoas com esse tipo de sentimento sentavam-se e se ajoelhavam ao redor deles no banco com uma espécie de pânico festivo, e Kristóf sentia que seu pai pertencia a esses fiéis ocasionais. Iam todo ano, com roupas festivas, para a igreja fria e úmida, e sentavam-se calados no banco em uma ordem hierárquica rigorosa: Emma à direita do pai, depois Kristóf e finalmente Károly, de uniforme e espada de lado. Kristóf tinha medo dessa "última tarde" — assim ele chamava em segredo essa visita à igreja —, tinha medo e pena de seu pai. Toda família, toda personalidade tem seu próprio calendário religioso, ocasiões para render homenagem diante de algo incompreensível: solenidades íntimas, como aniversários de falecimento ou dia de jejum voluntário. O pai escolhera o último dia do ano para essa manifestação meditativa. Sentavam-se calados ao lado dele e não entendiam o que pretendia. As pessoas iam aos domingos à igreja, nos grandes feriados religiosos, algumas vezes também durante a semana, iam à igreja quando alguém falecia, era isso que pediam os preceitos da religião. Havia algo de assustador e inexplicável nesse teimoso exercício espiritual do pai de encerramento de ano. Preparavam-se para ele como para uma cerimônia fúnebre e penosa, como para um enterro. O almoço transcorria num silêncio solene. Logo cedo o pai vestia sua roupa preta para ocasiões especiais. Na igreja, ocultava o rosto entre as mãos, apoiava os cotovelos nos joelhos, não fazia o sinal da cruz, não lia o livro de orações. Ficavam sentados assim por cerca de hora e meia, quando começavam a tremer de frio. Então o pai ia com eles passear no centro, parava em frente às vitrines, perguntava o que queriam de presente, e naquele dia satisfazia todas as suas vontades; verdade que, dados os antecedentes, depois de saírem da igreja, imersos naquela atmosfera séria e cheia de severidade, não tinham coragem de ter algum "desejo" — os irmãos nunca comentavam o assunto entre si, mas algo os levava a poupar o pai nesse momento de generosidade, pediam apenas objetos "úteis": uma luva ou material escolar, coisas que não traziam alegria, mas que o pai comprava no ato, com uma solene solicitude. Não falavam sobre o assunto, mas mesmo sem palavras sabiam o que levava o pai a essa caridade condescendente; com a mudez dos cúmplices, sabiam que o pai estava se "penitenciando" naquele dia. Por quê? A quem devia isso? De qualquer modo, era assim que Kristóf entendia essa distribuição de presentes de fim de ano — eles não eram sinceros um com o outro, mas seu silêncio os delatava. O pai provavelmente ficaria contrariado se um deles pedisse naquela tarde um presente "supérfluo" — por exemplo, um brinquedo, um artigo de perfumaria ou uma guloseima —; não, nem pensar. O mais jovem, Károly, na maioria das vezes punha-se a chorar envergonhado nesse périplo de encerramento de ano; não tinha coragem de confessar seus desejos e assim preferia não dizer nada. Segurava silencioso o lápis ou o compasso que o pai lhe comprara com ostentosa magnanimidade e, voltando para casa, escondia-os depois em alguma gaveta e nunca mais tocava neles. Cedo Kristóf observou que dos três era Károly o que menos suportava o "pragmatismo" consciente da educação paterna; nas férias que passava na casa do pai, o menino estava sempre triste, calado e sem fome; e Kristóf, que o tratava com uma boa vontade paternal de irmão mais velho, muitas vezes o surpreendeu a choramingar no escuro da noite.

Ele, o filho mais velho, sentia-se à vontade no colégio dos padres, não tinha saudade de casa. Entre os internos, havia muitos parecidos com ele, que consideravam as férias uma obrigação pesada; viajavam para casa no Natal ou nas férias com uma cara desconsolada e retornavam ao colégio antes do tempo — sim, com uma solícita e impetuosa alegria, como que para descansar da fadiga das festas familiares, calçar um chinelo e acomodar-se confortavelmente no colégio, entre os educadores e os companheiros, nessa outra família, maior, mais estranha e mesmo assim mais íntima. Não era ele o único que encontrou no colégio o seu lar; se não o calor da família, ao menos um clima morno com aquecimento central que podia não ser dos mais quentes, mas por certo impedia que se tremesse de frio. Porque muitos meninos voltavam tremendo das festas familiares — e demorava semanas para se acalmarem, encontrarem a segurança de seus papéis, certificarem-se de pertencer a algum lugar, a uma pequena sociedade, na qual caráter e capacidade asseguravam algum tipo de posição. Por semanas exalavam essa atmosfera doméstica, a tensão do retorno ao lar, a insegurança que sentiam em meio aos familiares, o reflexo de medo e ciúme. A maior parte provinha de famílias fraturadas, sem calor humano. Com certeza havia outros tipos de família; entre os "externos", encontravam-se meninos agradavelmente equilibrados, que sem saber irradiavam jovialidade, felicidade, alegria juvenil — sentia-se neles o calor da família "verdadeira", um calor emplumado, felpudo, incubado, a atmosfera de uma união íntima e profunda. Kristóf se sentia atraído pelos garotos em quem detectava esse calor, embora nunca tenha conseguido saber a diferença entre a "verdadeira" família e a outra, do tipo da sua. Verdade que na casa dele faltava a mãe; mas entre os internos havia muitos cujos pais viviam juntos e colocavam os filhos no colégio interno mais por motivos sociais ou de educação; mesmo assim, muitos meninos com pai e mãe eram tão carentes de lar como Kristóf, e também ansiavam pela atmosfera íntima de uma comunidade que substituísse um lar e, da mesma maneira, procuravam ficar próximos desses "externos" nos quais captavam algo do lar, do cheiro da família. Mais tarde, quando Kristóf Kömives já tinha formado sua própria família e lhe ocorria lembrar sua infância, pensava naqueles anos de colégio interno sem reclamações, feridas especiais ou insatisfação. Se lograra manter o equilíbrio — pela graça da fortuna — mesmo sem mãe, sem o refúgio da família, fora por obra do padre Norbert.

O padre Norbert lhe deu aquilo que, na maioria das vezes, nem as mães são capazes de dar, nem a família, nem os irmãos: com tato e visão, o gênio pedagógico do padre Norbert colocou-o sob a proteção de uma comunidade humana. Lá onde cada indivíduo sentia pertencer a algo, a um lugar, isso era tudo. Mais tarde, Kristóf Kömives muitas vezes se perguntou se conseguia passar aos próprios filhos esse sentimento de proteção, se sabia construir dentro da família esse refúgio. Não tinha uma grande opinião sobre as modernas teorias de educação. Com o passar dos anos, conheceu pessoas, vislumbrou destinos e percebeu que aqueles que mantêm o equilíbrio, os que resistem, não necessariamente provêm de circunstâncias familiares felizes — vinham da pobreza, de famílias muito numerosas, onde o dinheiro, o ciúme, as paixões fizeram seu trabalho destrutivo na alma de seus componentes, sem ter demolido a fundação espiritual da estrutura familiar — por quê? De que reserva se alimentavam essas almas? Naquela época estava na moda a educação com fundamentos psicanalíticos, e as crianças burguesas recebiam supervisão de médicos especializados na alma, que as protegiam e lhes forneciam nutrimento espiritual — a nova educação proibia aos pais o castigo, a proibição seca; o recomendado era explicar, permitir e esclarecer. Mesmo sem respeitar as proibições educativas vigentes, Kömives acreditava ser um pai bom e consciencioso. Tinha percebido que o "todo" era decisivo, o ambiente familiar, o fato de ser interiormente, em profundidade, uma família "de verdade", na qual os pais e as crianças quisessem bem uns aos outros. Se essa concórdia interna dava unidade à família, os pais podiam até brigar, podiam castigar as crianças, a mãe podia distribuir tabefes, o pai podia ficar mal-humorado, resmunguento ou muquirana, e mesmo assim a família formava uma comunidade, ninguém teria tremores ou feridas na alma por causa de um ou outro tabefe paterno. Entre si, os pais podiam ser apaixonadamente carinhosos ou apaixonadamente dominadores, podiam discutir ou caminhar de mãos dadas — de alguma maneira tudo isso pertencia à família, como o nascimento ou a morte, como a grande faxina ou a preparação de compotas; tudo isso só fazia sentido junto, e a criança podia se sentir em casa mesmo na companhia de um pai "severo". Kömives acreditava que era isso, esse tipo de sentimento familiar, que decidia as bases de uma existência jovem. A lealdade, o sentimento de pertencer a algum lugar, essa vida familiar que oscilava no bem e no mal, com todas as fraquezas de caráter, de um ou de outro, só valeria alguma coisa se fosse profundamente sincera e espontânea. Mas quem poderia julgar uma família em sua intimidade? Em sua casa existia silêncio, paz, carinho e suavidade; Kristóf Kömives procurava ser sincero em casa, aproximar-se sem máscaras da mulher e dos filhos... Mas justamente esse sentimento básico, que dentro de uma família decide o caráter das crianças, não pode ser fruto da razão ou ser decidido intencionalmente. Resignou-se a pensar, como se aceita uma ocorrência policial, que em casa "estava tudo bem", tudo tranquilo e como deveria ser.

 O padre Norbert acolheu e supriu Kristóf com carinho na sua infância — deu-lhe um suplemento espiritual similar, em sua função, ao leite em pó que substitui o leite materno, e a cura foi eficaz, Kristóf ganhou forças. O religioso devia ter cinquenta anos quando o filho do famoso juiz foi posto sob sua tutela; educava cada criança "pessoalmente", estudava escrupulosamente as circunstâncias familiares, sabia tudo sobre Kristóf: considerou sua situação de meio órfão análoga à condição de quem sofre uma mutilação. Conheceu o pai e, depois de algumas conversas prudentes e delicadas, mas nem por isso superficiais, provavelmente sabia muito mais das feridas daquela alma orgulhosa do que o próprio Gabor Kömives já confessara a si mesmo. Atraiu Kristóf com um afeto imparcial; ele era o *spiri-*

tus rector do colégio, diretor moral e espiritual, sempre atento para não privilegiar nenhum pupilo. Padre Norbert não tinha favoritos. Naturalmente, alinhou-se ao seu redor um pequeno "corpo de guarda" seleto, o círculo dos eleitos, pois dentro de uma comunidade nem a intenção nem a cautela conseguiriam impedir tal associação; a despeito de todo o cuidado, todo o comedimento, os sentimentos rompem as formas de convivência, um dia o rebanho se divide entre ovelhas brancas e negras, e o pastor, perplexo, sente que são as brancas que lhe tocam mais o coração. O padre Norbert gostava de Kristóf. Não era sua intenção se intrometer entre pai e filho, não queria "substituir" a família; a seu modo, de uma maneira humana e pudica, irradiava o carinho que sentia por ele e não conseguia reprimir; sabia ser companheiro e sabia manter a autoridade. Aos cinquenta anos, no período crítico da vida de um homem, adoeceu, e então Kristóf ficou sozinho de novo. Mas os anos que viveu sob a orientação do padre foram suficientes para carregar sua alma de menino, essa complicada bateria, com uma corrente misteriosa. Kristóf viveu os tempos seguintes com a reserva adquirida e armazenada nesses três anos. Nunca "entendeu" totalmente o padre: era evidente que havia algo em sua alma que Kristóf não conhecia, alguma força, um estoque particular de qualidades; não se podia espionar seu "segredo", se é que havia um. Quanto mais Kristóf ficava adulto, menos compreendia o "segredo" do padre Norbert: seu sorriso, seu equilíbrio, o modo como sabia ficar feliz com a vida sem ter motivo específico para tanto... Não tinha família, vivia na pobreza, cumpria os regulamentos ascéticos da ordem, era mais pobre, ou, mais precisamente, desprovido de posses que o homem mais pobre que Kristóf já conhecera: algumas roupas, alguns livros, esses eram todos os bens materiais que possuía. Não frequentava a sociedade, não assumia papéis combativos ou de missionário que quer converter; vivia e atuava no seu círculo fechado, silencioso, anônimo e despercebido. Mas os que ficavam próximos a ele percebiam: aquele homem vivia. Não se exauria com as práticas e as regras. Sabia sorrir; o padre Norbert gostava de sorrir. Pouco se importava com seu corpo frágil, não sucumbia quando atacado por doenças periódicas e traiçoeiras, e quando aos cinquenta anos, o momento crítico, os primeiros ataques do coração começaram a torturá-lo, viveu anos calado, sem assistência médica, ao ponto de os colegas de ordem e os queridos pupilos desconhecerem a doença. Vivia de maneira sóbria, não se entregava aos prazeres do corpo, não fumava, não bebia, dormia pouco e trabalhava muito. Mas o trabalho para ele não significava "programa", como costuma ser para os neuróticos tímidos, que se refugiam de sua confusão interna em horários e regras; o "trabalho", essa união singular de atividade, conduta, sentimentos e intenções que davam — assim pensava Kristóf — conteúdo a esse grande e anônimo educador, organizava-se sob sua mão de modo fortuito. Não era rígido, não evitava nem cobiçava a vida, não se entusiasmava por ela nem se lamentava. Era um padre, solitário, e sua vida manteve-se em equilíbrio até aquele momento nebuloso em que seu organismo, exercendo o direito misterioso de protesto, ordenou uma nova ordem, a forma de vida doentia a essa alma humilde e pudica.

Não suportou a doença "heroicamente": suportou-a humanamente, ora com queixas, ora com maravilhosa compreensão, como se por meio do sofrimento conseguisse intuir algo que até então, na "outra" vida, mesmo com humildade e exercícios, não fora capaz de compreender. Sua religiosidade era franca e simples, tão natural como a vontade de viver das plantas e dos animais. Padre Norbert não se torturava, não se defendia dos dilemas que o tentavam e não exigia uma devoção ostensiva e ambiciosa de seus próximos nem de seus pupilos. Provavelmente sabia que esse estado de espírito era instintivo, fruto de graça e piedade, a alma fartava-se de paz, algo iluminava sua obscuridade, a maioria das vezes não o raio cruel e violento de Saulo, apenas um alvorecer estranho e sereno: isso era tudo. É preciso estar preparado para o momento: não de modo particular, nem solene, nem ocasional; os pressupostos da graça são mais a prontidão e a humildade. "Já é suficiente não opor resistência", disse uma vez a Kristóf; e esse modesto e virtuoso conselho, passados anos, parecia ser sempre uma resposta válida nos momentos de crise, silenciosos ou barulhentos, da vida. Talvez se tratasse disso: não opor resistência... Havia algo inconfundível naquele homem, algo que quase gritava; apenas não se devia ficar surdo à ordem. Mas "não opor resistência" era quase como agir, como fazer algo que não realizamos por preguiça ou covardia; talvez isso seja o mais difícil, a aceitação da vontade do outro, que não é ditada por nossa consciência, mas pela ordem interna, imutável, de nossa personalidade... O padre Norbert sabia concordar; e procurava transmitir de alguma maneira a seus pupilos essa nobre negligência, esse modo humilde de condescender. Por muito tempo Kristóf ouviu essa voz. Depois ela silenciou, ficou surda, uma surdez agradável. Viveu muitos anos assim: onde quer que estivesse, com a família ou no gabinete, julgava e determinava, mas sabia que "opunha resistência", que uma voz, na surda escuridão, em algum lugar, ordenava outra coisa... Um estado assim é similar ao alvorecer, à vigília antes do acordar: já ouvimos os ruídos do mundo, mas ainda não os compreendemos com clareza, o sono, com suas tonalidades suspeitas, nos envolve agora frouxamente, talvez tenhamos de acordar imediatamente, com todas as consequências... algumas vezes o alvorecer surdo dura anos. Kömives conheceu esse estado e não lhe opôs mais resistência. Sem reservas, oferecia inteiramente ao mundo o que é do mundo. Era preciso viver, julgar e defender as próprias posições segundo a outra lei, a lei do mundo. Não com consciência, mas com uma vaga e nebulosa intuição, sentia que obedecer a essa lei do mundo era pouco. Mas quem sabia mais do que isso? O mundo se contentava com ela.

O padre Norbert sabia mais que isso; e sua lembrança ainda o rondava, não figurativamente, mas como uma espécie de texto antigo, com palavras que enxergava e ouvia esporadicamente de maneira vaga e nebulosa. (E outras vezes não pensava com palavras, mas emoções: olha, ele também morreu! — como se a morte precoce do padre houvesse revelado uma situação vergonhosa ou frágil, de queda ou de fraqueza. Pensava na morte do padre Norbert com frustração e raiva, mas nunca examinou esses sentimentos.) Depois, quando tinha pessoas à sua frente que se defendiam com as "circunstâncias", com desejos, paixões, seduções, com as tentações do dinheiro, do sangue, da carne, diante do juiz surgia a figura frágil do padre, que sorri e "não se defende", e acredita em algo sem possuir nada, sem ter desejos "insuportáveis", nem propriedades e, mesmo assim, sabe sorrir... Nesses momentos, debruçava-se com um olhar duro sobre a letra da lei, e procurava o artigo exato que correspondia ao "caso" que gaguejava e se defendia à sua frente, sem circunstâncias atenuantes. A lembrança do padre Norbert era uma referência, uma lei humana, a possibilidade não escrita do bem e do mal que uma vez se expressou em um ser humano.

Todo ano, por três dias, entrava em retiro espiritual com alguns colegas juízes e tomava parte nos exercícios religiosos que precediam a Páscoa. O juiz, de conduta moral rigorosa também na vida privada, tinha fama de ser profundamente religioso. Por vezes também ele parecia sentir que realmente conseguia aproximar-se dos ideais que os outros lhe atribuíam: decente, ocultava-se na pobreza, no círculo familiar, cumpria suas obrigações com consciência e precisão, mantinha-se afastado dos meandros do dia a dia da política, tinha contato apenas com pessoas que faziam parte de seu mundo, e qualquer autoridade poderia fiscalizar sua vida diariamente, a cada hora... Sentia ser um membro útil e decente da sociedade. Verdade que esse sentimento tinha algo de soberba. Sobre o padre Norbert, nunca foi possível saber se ele se considerava um membro útil e decente da sociedade. E algumas vezes, nos momentos de cansaço e de angústia que se seguiam àquela estranha tontura nervosa, por sorte apenas nervosa, Kristóf Kömives pensava: o que diria o padre Norbert sobre sua vida? Viveria na "graça"? Sim, vivia a vida útil, laboriosa e decente de um homem cristão. Mas o padre Norbert não estava em lugar algum. E ninguém pretendia que ele vivesse, acreditasse ou duvidasse de maneira diferente... Era muito estimado no gabinete e diziam que teria um belo futuro.

5.

Todos consideravam natural ele ter escolhido a carreira de juiz; o primogênito Kömives nem poderia ter feito diferente; e ele mesmo sentia, quando de maneira modesta apresentou-se ao colegas, ter continuado em família, mas em uma família maior e mais íntima. Receberam-no com confiança, sem colocá-lo em um lugar especial; limitaram-se a tomar conhecimento de sua chegada, ocupando o posto na esfera de sua competência. Tradicionalmente, havia um lugar para um Kömives entre os juízes do país, como se por direito hereditário. Seu nome e sua origem obrigavam-no a cumprir com grande rigor as normas de trabalho; talvez Kömives tenha começado de forma mais vagarosa que os colegas de sua idade, pois tanto ele como seus superiores tomavam cuidado para que não recebesse nenhum privilégio. Kristóf Kömives pertencia a essa grande família; e assim como os membros de uma dinastia de nobres permaneciam — por decoro ou por modéstia — mais tempo nos escalões inferiores do exército que os oficiais regulares, Kömives, que desde o momento em que entrara no gabinete pela primeira vez pertencia à elite de juízes, avançava na carreira a passo de tartaruga. Ninguém duvidava de que mesmo assim chegaria longe, alcançaria o topo e, com sessenta anos ou pouco mais, estaria entre os principais juízes do país. Ele tampouco duvidava disso. A partir do momento em que se sentou na cadeira de juiz, poderia ter desenhado com uma parábola ascendente o gráfico de sua carreira: não precisaria fazer mais que ficar em seu lugar com saúde e honestidade, mesmo sem aptidões especiais; não cometer grandes erros, obedecer, ordenar e observar a etiqueta oficial. Quando pisou pela primeira vez na sala de audiência como jovem estagiário de direito, imediatamente sentiu que retornava ao lar, aos conhecidos — a maioria dos juízes mais velhos o recebeu de maneira paternal —, e se tivesse rompido a etiqueta, ou involuntariamente cometido algum erro, seu ato não teria sido julgado com mais rigor do que um leve deslize de um parente querido.

Naquele mundo íntimo, tudo lhe era familiar: a maneira de impostar a voz, os modos, a disciplina, a hierarquia, as leis também eram familiares, sim, o interior e o ambiente das salas de audiência, o odor ligeiramente acre dos papéis e o suor na fronte — tudo isso lhe era familiar, como o cheiro de éter o é para o médico na sala de operações, como o cheiro de incenso para os padres na sacristia. Aquele era o seu mundo. De alguma maneira, na casa de seu pai as coisas também eram assim: os processos que jaziam sobre a mesa, o cheiro de tinta que pairava, os volumes da lei encadernados em couro de porco que se estiravam nas estantes. E além de tudo era recebido por rostos conhecidos, rostos de juízes, barbas e bigodes, rostos familiares, íntimos, entonações conhecidas. Bastava-lhe apenas mergulhar naquilo, naqueles conhecidos elementos primordiais. Conhecia havia muito a engrenagem, seus parafusos secretos, suas molas invisíveis e alavancas; de certa maneira, nem precisava aprender, pois parecia repetir as brincadeiras de tribunal da infância, agora tratava-se apenas de refrescar a memória... Impregnadas em seus nervos atuavam as lembranças do ofício de seu pai e de seus antepassados, talvez até em seus sonhos. A engrenagem, a engrenagem da justiça, essa máquina grande e complicada, com certeza era imperfeita, muitas vezes rangia, ficava enferrujada e empoeirada: mas ninguém conseguia propor nada melhor, ninguém tinha inventado nada mais perfeito, era imprescindível, era necessário resignar-se a esse fato. Quem dava alma e força à engrenagem era o juiz. Instintivamente, sentia que a verdade era diferente e maior que as letras, que os "fatos" — ah, o mundo confuso e questionável dos fatos deformava-se de maneira prodigiosa na sala de audiência, na maioria das vezes o juiz podia apenas deduzir a verdade, pois as pessoas portavam espelhos deformadores, o anão parecia gigante, o gordo, magro, o magro, atarracado! A verdade era antes de tudo comedimento. Ninguém tinha lhe ensinado: sentia isso em todo o seu ser, com a experiência dos pais, com o senso de perigo da razão. Desde o primeiro instante em que se sentou na cadeira de magistrado, era considerado um juiz "sério": não era severo nem jovial, mas possuía um certo caráter solene; refugiou-se nessa postura, interrogava e argumentava com frases curtas e concisas, era grave e reservado; nem a burrice, nem a má vontade, nem a mentira faziam-no perder a calma, e se alguém o obrigasse a confessar, reconheceria que a cada dia, a cada novo julgamento, entrava na sala de audiência com a inquietação de um ator que estreia uma peça... Essa "inquietação", esse fervor, essa solenidade contida, não passava com a "prática". Admirava a bonomia e a veemente severidade dos velhos juízes, gostaria de imitá-los, essa velha guarda, entre eles alguns júpiteres trovejantes, que ao ouvir uma mentira ou safadeza gritante eram tomados de uma cólera incontrolável, como se tivessem sido atingidos por uma ofensa pessoal, e começavam a discutir com o acusado ou a testemunha; procurava manter-se em contato com eles, com essa vida voltada para julgar. Kristóf Kömives sempre tomava cuidado para que explosões assim não perturbassem a cerimônia solene do julgamento. "Escola Kömives", diziam com boa vontade os velhos juízes, enquanto observavam os primeiros atos do jovem Kömives; e sorriam, davam tapinhas em seu ombro e balançavam a cabeça em sinal de aprovação. Aqueles velhos juízes tinham tido a oportunidade de ver o pai e o avô de Kömives julgar. A fantasmagórica semelhança dos gestos, dos modos e da escola era revivida pelo jovem juiz. Kristóf recebia com embaraço as manifestações de reconhecimento lançadas com tapinhas nos ombros em sociedade ou em torno de uma mesa. Algumas vezes cismava e indagava: qual "escola" seria a mais humana? — e aqueles velhos juízes, que mesmo depois de tanta prática e experiência tomavam parte de modo passional no eterno litígio entre pessoas, interrompiam, distribuíam broncas, zangavam-se, permaneciam inquietos no tablado, talvez vivessem em uma proximidade mais fiel ao significado da "lei" e também ao conteúdo da verdade, enquanto ele, desde o primeiro instante que pronunciou uma sentença, manteve-se rígido e formal... Na prática, o que era a "verdade" para o juiz? Havia o mundo, com seus processos, seus assassinos, as partes interessadas dispostas a jurar, com seus ódios e ânsias; havia a lei; e depois havia a estrutura, com seus ritos milimetricamente determinados, seu código de procedimentos, sua ordem, e o tom de voz com que o ofendido encarava o agressor na frente do juiz; e, finalmente, havia o juiz para destilar algo dessa matéria diversa, crua e morta, que, segundo a equação química da lei, correspondesse à verdade... Mas a verdade, além da lei, tinha também algo de "pessoal"; aqueles velhos juízes trovejantes que "interrompiam", que conduziam a audiência como se discutissem um caso pessoal, que davam conselhos, advertências e broncas, que concordavam com um gesto compreensivo, que faziam prevalecer sua personalidade mesmo dentro da letra da lei e das engrenagens e alavancas da máquina da justiça, que se comportavam como velhos patriarcas a distribuir sentenças, talvez personificassem mais o ideal de juiz nutrido pelas pessoas... Sim, havia a lei; e depois havia a "justiça"; mas talvez a justiça somente pudesse ser distribuída por aqueles que se deixavam envolver e se indignavam com as questões do próximo.

Por quatro anos foi membro do colégio de juízes de uma seção penal; foi por acaso que lhe atribuíram o papel de "juiz de divórcio". Recebeu com alívio essa nova função, pelo menos nos primeiros tempos. Devia desatar e separar, mas ninguém o obrigava a julgar; sentia ser ainda jovem, não maduro o suficiente para examinar o conteúdo de verdade na assustadora matéria processual do mundo; o que poderia saber uma única pessoa sobre a vida? E um jovem juiz? Toda convicção era baseada no vazio, todos os dias, todas as horas de audiência, todas as testemunhas, todos os depoimentos apontavam para novas síndromes, doenças novas e desconhecidas, feridas misteriosas; diante do juiz perfilavam-se crianças barbudas de setenta anos que, ofendidas, exigiam do juiz um castigo para seus companheiros de brincadeiras; ou crianças precocemente envelhecidas que, tremendo, choramingando, mendigavam reparações, indenizações. Seus anos de aprendizagem foram naqueles tempos em que a sociedade ainda não tinha se recuperado dos abalos da revolução — e Kömives de vez em quando refletia: existiria a possibilidade de acomodação depois de tamanha reviravolta, quando nenhum ideal, nenhuma convenção permaneceu intacta? Seria possível voltar à ordem do dia, seria possível voltar no tempo, medidas policiais e judiciais poderiam impedir algo que evidentemente não era a intenção das pessoas, mas acontecia em suas vidas? — e esse "algo" provavelmente não era a ação violenta de apenas um partido ou de algumas pessoas insatisfeitas... A vida, especialmente nesses anos, procurava novas formas; era disso que se tratava, era desse ponto de vista que era preciso entender os atos desesperados das pessoas. Tudo tinha mudado, a moda, as máquinas, os ideais, as convenções, tudo fora posto de lado, tudo envelhecera, tudo saíra de moda... Mas não era prioridade do juiz compreender, e sim constatar. A sociedade exigia dele apenas isso, nem mais, nem menos; depois do grande terremoto, os desabamentos e as rachaduras dos edifícios danificados estavam sendo reparados, as fachadas eram caiadas, aos poucos as lojas reabriam, todos voltavam a ocupar suas velhas escrivaninhas, os trens recomeçavam cautelosamente a correr, as pessoas embelezavam o quadro de suas existências; o juiz não tinha direito de perguntar o que elas queriam, em que acreditavam, o que esperavam — o juiz tomava conhecimento de que a sociedade se apegava às antigas convenções. Ocorria que a matéria quente não se resfriara, a matéria das formas que explodiram; e o antigo clima, morno e temperado, já não pairava sobre o mundo civil... Da alma das pessoas jorravam lava, fumaça e cinzas; despertavam do terror da morte e se atiravam à caça ao dinheiro com fome fanática, nos primeiros anos tudo era dinheiro, mesmo que de papel dobrado e amarrotado; o dinheiro reinava nos assuntos públicos, na família, nos sentimentos e pensamentos — de forma diferente, não era mais o objetivo, não era mais a referência, era simplesmente um narcótico, e as pessoas, como os viciados em morfina, não se contentavam com doses gradativas, elas mentiam, enganavam, reviravam os olhos, assassinavam, as mentes eram assombradas por quimeras nebulosas, a máquina danificada rangia em todos os cantos e ângulos, nas ruas o ópio era vendido pelos contrabandistas e agiotas do delírio — agora levante e julgue os homens, julgue o "caso", e pronuncie a sentença!, pensava algumas vezes. Talvez, se houvesse um ou outro grande juiz da velha guarda, um juiz que fosse ao mesmo tempo padre, profeta e interrogador, um Savonarola — mas não havia sinais de Savonarola. O juiz não podia fazer mais nada; pegava os autos, chamava as partes e constatava.

Saindo dessa tempestade, atracou na ilha dos divórcios — e nos primeiros tempos acreditou que fosse um lugar mais tranquilo, talvez mais limpo, talvez um pouco mais triste, mas de qualquer forma mais humano. Aqui tratava-se simplesmente do fato de que João e Maria não aguentavam mais viver juntos; erros tristes, algumas vezes trágicos, últimos diálogos de uma triste comédia humana, que começou com a eterna cena do balcão e terminou em frente ao juiz. Seu trabalho era apenas constatar que essas duas pessoas não aguentavam mais a companhia uma da outra. Na maioria das vezes chegavam em frente ao juiz com a mesma alegação; um assumia a culpa, mas o juiz sabia que ambos eram igualmente culpados, ou que talvez nenhum deles o fosse, a culpa podia ser de qualquer outro ou de qualquer coisa — e enquanto "pronunciava a sentença" sentia que a intenção humana se intrometia no direito divino. Kömives acreditava no caráter sacro do casamento. Essa convicção era uma de suas leis internas. O casamento é sagrado, uma graça especial, intenção divina; o homem devia aceitá-lo como tudo que vinha de Deus, sem tocá-lo com suas mãos profanas. O casamento para ele não era "perfeito" ou "imperfeito", o casamento era uma convenção moral que dava forma divina para a convivência de duas pessoas de sexo diferente, para a família. Que mais podia pretender o homem? Um casamento "mais perfeito"? Tudo que a mão humana toca se deforma, permanece imperfeito, as pessoas não cumpriam nem os Dez Mandamentos, roubavam, mentiam, fornicavam, desejavam o rebanho e as mulheres de seus próximos — e apenas um louco poderia ter a ideia de exigir a revisão e o restauro dos Dez Mandamentos. A lei divina era perfeita, o homem, que não conseguia suportá-la, era imperfeito e frágil, era assim que pensava, e essa fé brotava do fundo de sua alma, de fonte misteriosa, e não das argumentações do intelecto. As pessoas não conseguiam suportar o peso da família, do casamento? Sim, segundo todos os indícios — e que indícios terríveis! — o edifício da família estava desabando, as pessoas fugiam do lar decrépito e gelado, de todos os cantos surgiam falsos xamãs, profetas de modas detestáveis, que pregavam uma "união camarada", um "casamento experimental" e discursavam sobre a "falência do casamento". Kömives odiava esses falsos profetas e seus seguidores, os cônjuges de nervos em pandarecos, ou apenas acovardados, irresponsáveis, libertinos, que um dia paravam diante dele com os olhos voltados para o chão, porque "não aguentaram" as obrigações e o peso do casamento! A "falência do casamento": o que era isso?, refletia sarcasticamente. Como se alguém tivesse dito: "a verdade matemática" está em crise, "a" mais "b" não corresponde mais a "c"; ou que Deus estava em "crise", suas leis não tinham mais valor, a graça que distribuiu aos homens deve ser primeiro convalidada por uma autoridade terrena qualquer e apenas depois se poderá desfrutá-la... Depois de alguns anos de experiência com divórcios, sentia que entre as diversas competências dos juízes a sua era a mais pesada; devia unir e separar com mãos profanas o que Deus já havia unido e somente Ele podia separar.

Lá desfilavam diante dele, ano após ano, em uma fila lúgubre, mentiam e juravam; e não se olhavam nos olhos nem olhavam no rosto do juiz; mentiam virtudes e pecados, assumiam culpas, obrigações, apenas queriam fugir, fugir daquela situação que sentiam ser uma prisão, uma miséria insuportável, e se perfilavam ante o juiz paralisados e aleijados — e ele dissolvia e separava, segundo as prescrições da lei; mas ele também abaixava a cabeça quando pronunciava a sentença, porque sabia que suas palavras proclamavam apenas a lei humana e o que ele proclamara era contra o espírito da lei divina. Nesses anos, o juiz "de divórcio" tinha muito trabalho. Os casais fracassados faziam fila com suas lamentações diante do juiz, todos tinham pressa de se libertar da "canga", a sala de audiência parecia um consultório popular, consultório de psiquiatra, onde pessoas não totalmente confiáveis imploravam que ele as libertasse de suas obsessões insuportáveis. Mas Kömives acreditava não existir libertação. E, depois de alguns anos, acreditava já ter visto todas as misérias do mundo, nos processos de separação se apresentavam os sintomas da degeneração da família, assim como em uma gota de sangue é possível ler as doenças misteriosas de todo o corpo. Algumas vezes acreditava tratar-se disso mesmo, de um minúsculo terreno de cultura de todas essas "crises", de todas essas inquietações insanas, de todos os crimes da vida pública e social: cada um desses processos, que falava apenas de João e Maria, que não estavam mais dispostos a viver juntos segundo as leis de Deus... Visualizara a célula, muitas vezes ampliada, o indivíduo, a célula da sociedade, a família. Do parlamento, da vida pública, dos púlpitos das igrejas se pregava a "falência da família"; homens de coração severo exigiam que se "dificultassem" os divórcios. Kömives analisava essas opiniões, analisava os processos do dia a dia, como um médico analisa o material clínico, e algumas vezes duvidava se um homem ainda conseguia curar, se existia alguma outra esperança, uma cura diferente que Deus mandasse para os homens.

6.

Kristóf Kömives estava casado havia nove anos. Sua esposa era filha de um general austríaco; a filha de Károly Wiesmeyer, a filha daquele Wiesmeyer de má fama que, no começo da guerra — depois de um ataque particularmente sangrento na Polônia —, fora condecorado com a Ordem Maria Teresa. A menina fora criada desde os dez anos na Hungria — sua mãe provinha de uma família saxônica do norte da Hungria — e falava húngaro com leve sotaque, embora tivesse correção gramatical.

Hertha Wiesmeyer era bonita. Sua beleza se afirmou com o passar tempo, sua face fina e longilínea, de testa alta, irradiava uma harmonia simples e tranquila. Não era uma beleza arrogante, mas apenas consciente de si mesma, sem ser provocante ou encantadora — as pessoas não conseguiam desviar-se dos efeitos de seu rosto, olhavam-na seriamente, com uma comoção involuntária. Pessoas estranhas paravam na rua e a seguiam com os olhos. Os olhares não ofendiam Hertha, pois como ninguém ousava aproximar-se daquela beleza, nunca fora molestada. Era preciso tomar conhecimento de sua beleza como se o tem de uma melodia perfeita e harmoniosa, que vaza para a rua através de uma janela aberta, e os pedestres, se não fossem totalmente surdos, mesmo sem querer a guardariam em suas memórias. Havia um equilíbrio em sua face, uma mistura de tranquilidade, modéstia e dignidade feminina da qual tinha plena consciência. Seu corpo manteve-se perfeito mesmo depois de dois partos — não praticava esportes, Hertha não apreciava os exercícios físicos em voga naquele momento —; era alta e esbelta, mas não daquela magreza esportiva exigida pela moda. No seu caminhar, na sua figura, era possível sentir aquele equilíbrio próprio refletido em seu olhar, iluminando seu sorriso, oferecendo a base de sua beleza e presença, como a clave na partitura determina a tonalidade de uma melodia. "Isso existe?", perguntavam os homens quando olhavam surpresos para ela. E depois ficavam perplexos, espantados, sem palavras, como quem no fundo não entendeu alguma coisa.

 Kristóf Kömives tinha vinte e oito anos quando encontrou a esposa. Viu-a às seis da tarde, em Zell am See, à beira do lago. Hertha estava discutindo com um barqueiro. Kristóf acompanhava a discussão de maneira anônima, discreta e cortês, e a garota, visivelmente perturbada, voltou-se para ele com uma nota graúda nas mãos, que o barqueiro não conseguia trocar — e Kömives virou o rosto ao perceber o olhar da garota; também olhou em redor perturbado, sentiu que tinha ficado corado, tirou o chapéu e fez uma reverência. Por alguns instantes, olharam assim um para o outro: a garota com o dinheiro, ele com o chapéu na mão, o corpo inclinado em sinal de reverência. Estava chuviscando, como geralmente acontecia no final da tarde naquela época do ano; a garota usava uma capa impermeável muito fina, estava sem chapéu, com o cabelo castanho um pouco molhado. Naquele instante, Kömives — pelo menos era assim que sentia — estava profundamente embaraçado. Recordou algumas vezes esse encontro com humor, como costumam fazer os casais sobre o primeiro encontro, sobre aquele primeiro encontro que não podia ser tão banal, já que os interessados o consideravam um pequeno acontecimento de porte mundial; "lembra, você estava na margem do lago e eu passava justamente por lá e, então, de repente parei" — e se espantam com o "acaso fora do normal" que os juntou, e como tudo foi assustadoramente simples... Kömives mais tarde confessou a Hertha que no momento do encontro fora tomado por um grande sentimento de embaraço e, ao mesmo tempo, por uma vontade especialmente aguda de fugir. "Essa confissão não é muito lisonjeira", disse Hertha espantada; e riu. É, mais tarde o próprio Kristóf sentia que não fora um sentimento muito animador; mas depois explicou à esposa que é diante do "destino" que se sente esse espanto, diante da pessoa da qual não se pode fugir. Hertha usava naquela noite uma capa de chuva bordô. Isso também o perturbava. Mas aquela vontade inequívoca de fugir, aquela voz mais forte do que todas a gritar, a ordenar de um modo cômico que fugisse, sem se preocupar com o espanto ofendido da garota, que apenas corresse, fugisse, como se tivesse sido atacado na floresta, à beira do lago — (sonhou muitas vezes com esse encontro e, para seu grande aborrecimento, essa obsessão de *atentado à beira do lago* retornava tenazmente nos sonhos, como se lesse uma manchete parecida nos jornais, cujo conteúdo se referisse a eles!) —, essa sensação de pânico sobre o primeiro encontro manteve-se agudamente em sua consciência. Disso, podia apenas sorrir.

 Kömives nunca se sentiu especialmente seguro na companhia de mulheres; foi criado entre homens, pensava nas mulheres com timidez, como alguém que não tem certeza do que pensa. Aquelas experiências obscenas, aquela "valentia" suspeita, aquelas aventuras modestas e mal-afamadas com as quais seus colegas de escola de tempos em tempos se vangloriavam, não poderiam dar um retrato fiel das mulheres; Kristóf Kömives, com sua maneira paciente e atenciosa de ser, ouvia os relatos exibicionistas e lascivos e não sentia desejo algum de ser o herói daquelas aventuras. Era pudico, e mesmo mais tarde, quando por acidente, quase por cortesia, conheceu a vida sexual, permaneceu irremediavelmente pudico em seu íntimo. Já adulto, diplomado, ainda se sentia embaraçado em companhia feminina; costumava ficar ruborizado com palavras inocentes; ele próprio evitava palavras vulgares que se referissem às diferenças de sexo ou ao ato sexual. Nem sequer compartilhava aquela cumplicidade viril que coloria as conversas masculinas sobre aventuras sexuais; e não se importava que o provocassem, zombassem, duvidassem de seu lado pudico; então sorria com boa vontade, como quem sabe que não poderia ser de outra forma, o mundo é assim, os homens se comportam desse modo quando falam de mulheres; ele sentia muito, mas não se comportava desse jeito. Esse sorriso quase sempre desarmava os zombeteiros. Em companhia feminina, ficava calado e tímido. As mulheres desconfiavam desse respeito cheio de pudor, e Kristóf por muito tempo sentiu que elas mais evitavam que procuravam sua companhia.

Hertha Wiesmeyer fitou-o com impaciência. Por que não dizia algo, como se devia, como exigiam as boas maneiras? Não falava porque tinha medo. Qual a base desse medo? Não sabia. Apenas sentia que algo não estava certo, não se devia sentir medo assim. Por isso fez um gesto, murmurou algumas palavras e com passos apressados dirigiu-se para o hotel. A garota seguiu-o com os olhos. Estava acostumada a ver os homens ficarem atônitos, admirando sua beleza; mas aquela fuga visível a perturbou. Mais tarde, quando se conheceram, confessou para Kristóf que teve vontade de correr atrás dele. Ambos sentiram no primeiro instante que aquele embaraço penoso significava alguma coisa. Significava o amor? Kristóf subiu para o quarto e lá ficou sentado até o jantar, pois a perturbação e a timidez demoraram a se dissipar; sentado no quarto escuro, estava tomado por um sentimento agudo de culpa e irritação, como uma pessoa que "sem nenhum motivo" se comportou de maneira ridícula e mal-educada. Mais tarde, lembrou-se de que, naquele momento, na primeira noite após o encontro, pensou se não seria mais lógico fazer as malas e partir. Sentia-se pueril, estúpido. Era evidente: o que na sua vida era importante, decisivo, não dependia de palavras e ações. Sentia isso de alguma maneira. Era tímido, sim, mas nunca fora mal-educado; o que aconteceu? Uma garota o chamou; devia fugir por causa disso? À noite já tinha se "tranquilizado" — em todo caso, "esqueceu o assunto". Surpreendia-o o fato de que até agora não tivesse visto em nenhum lugar da estação de águas essa garota de beleza marcante. Deu de ombros e vestiu-se para o jantar. A primeira pessoa que vislumbrou no salão do restaurante foi a garota; estava sentada entre duas senhoras idosas, logo na entrada, em frente à mesa de Kristóf. Depois do jantar, foi até a mesa de Hertha, pediu desculpas por seu comportamento à tarde e apresentou-se. Hertha sorria. Desceram para o jardim. Caminharam durante horas à margem do lago. Nunca conseguiram recompor com precisão sobre o que conversaram na primeira noite, às margens do lago. Kristóf sentia que, pela primeira vez na vida, conversava com um ser humano sem escolher cuidadosamente as palavras, de maneira direta, como uma criança fala com a babá, totalmente, completamente. Não procurava as palavras, era direto e descuidado, tudo estava pronto dentro dele, elaborado havia tempos, só tinha de, finalmente, dizer a alguém. Hertha dava respostas curtas, algumas vezes meneava a cabeça, outras exclamava, como alguém que por fim entende que também pensa assim — e já se interessava pelos detalhes, como uma companheira íntima, já falavam apenas por sinais, como um casal. Essa intimidade, essa familiaridade, era assustadora, como um inesperado fenômeno natural. Algumas vezes as palavras silenciavam, e os dois olhavam mudos para os respectivos pés. Algo aconteceu entre eles; algumas vezes recuavam, outras Kristóf segurava Hertha pelo braço de maneira simples e natural, sem intenção de "namorar", do modo como se abraça um parente que há muito tempo não se vê. Assim caminharam para cima e para baixo. Voltaram ao hotel depois da meia-noite. Naquele passeio, não falaram nenhuma palavra sobre seus "sentimentos". Kristóf falou de sua infância, de sua vocação. Hertha sorriu e, balançando a cabeça, disse espantada: "Juiz". Estavam parados na curva do caminho, à luz dos lampiões de arco; a garota esticava as vogais, como se cantasse. Depois discutiram se valia a pena morar em Buda, e quando Kristóf voltaria para casa, e onde Hertha passaria o outono. De volta ao quarto do hotel, Kristóf caiu na cama e, exausto, adormeceu. Adormeceu com o sentimento de quem finalmente conserta um erro — mais tarde era assim que recordava aquele estado de espírito vertiginoso e aliviado —, finalmente "havia dito"; mas o quê? Dormiu longamente.

Depois de três dias, pediu a mão de Hertha em casamento. Mandaram um telegrama para o general em Viena. O pai veio como um raio, à paisana, de mau humor e ofendido. O general Wiesmeyer era um homem ofendido. Fora ofendido pelo tempo, como a maioria dos homens de sua geração; mas enquanto o pai de Kristóf não sobrevivera à ofensa, o general a suportava com visível vitalidade, obstinado e atrevido. Era aquele tipo de homem que "não tem papas na língua". Membro de um partido de extrema direita, difamava à plena voz o espírito da república, suas instituições e funcionários, e propagava a seu redor um certo clima terrorista que misturava despretensão e piedade, realmente útil para intimidar garçons, carteiros e bilheteiros de trem. Kristóf conhecia esse tipo de pessoa. Encarou-o com tranquilidade, sabia que ele era o mais forte. O comportamento agradável e equilibrado do jovem juiz húngaro, seus modos impecáveis, sua apresentação modesta e segura enfureceram Wiesmeyer nos primeiros dias. Falava sobre os húngaros com desprezo, dizia serem "bons soldados" que, em trajes civis, eram presunçosos e desajeitados; e, num tom de voz de quem não tolera ser contrariado, contava piadas sobre os húngaros. Kristóf escutava com reserva cortês. O general não poderia objetar nada contra sua pessoa e sua origem. Pediu a mão de Hertha, e o general respondeu carrancudo, com visível irritação, como se estivesse envergonhado de algo — talvez fosse apenas uma raiva impotente de pai, como se naquele instante finalmente tivesse de revelar a um estranho as relações de força até então ocultas. Hertha era mais forte que o general; tratava o pai com calma e gentileza, com a superioridade do mais forte, quase com paciência. Fazia anos que a esposa do general vivia perturbada por constantes dores de cabeça; tomava parte na vida familiar somente quando, nos intervalos dos ataques, sem o lenço molhado na testa, aventurava-se a aparecer por instantes da penumbra do quarto. Nos primeiros tempos, lutou para conquistar a simpatia de Kristóf com entusiasmo veemente, quase apaixonado. Essa simpatia extrema, que lembrava uma paixão inconsciente, logo após o casamento mudou bruscamente para uma variante do característico ciúme de sogra. "Mamãe está apaixonada", disse Hertha sorrindo. "Essa é a conquista mais perigosa, pois está na idade em que as pessoas não conseguem mais suportar que seus sentimentos não sejam correspondidos; corteje-a um pouco, Kristóf". De início, observações assim ecoavam em Kristóf de maneira desconfortável e surpreendente. Hertha conseguia conversar serenamente, sorrindo, sobre estados sentimentais complicados; chamava as coisas pelos nomes, sem chocar, sempre com palavras selecionadas e precisas; Hertha "dizia" o que a maioria das pessoas, seguindo um acordo secreto e geral, preferia calar. Uma garota não podia dizer que sua mãe estava "apaixonada" pelo genro — nem brincando, pois soava chocante, desastrado, indecoroso —, mas Hertha não tinha medo de palavras. Kristóf percebeu com surpresa que Hertha era "inteligente" — inteligente de outra maneira, mais agressiva, mais perspicaz. Naturalmente, nunca pensou que Hertha fosse simplória ou limitada — mas essa inteligência singular o surpreendeu, como se tivesse descoberto uma característica física secreta em Hertha, diferenças na cor dos olhos ou uma mecha de cabelo grisalha entre as tranças castanhas.

Essa "inteligência" o perturbava. Desde o primeiro instante, Hertha tratou-o como se fosse a mais velha, aquela que sabe algo, e que só por meio de um acurado trabalho pedagógico poderia transmitir seu conhecimento para o companheiro que escolhera. Ouvia com seriedade benevolente as teorias de Kristóf sobre moral, sociedade e política; algumas vezes meneava a cabeça, como quem se resigna com a impossibilidade de mudar uma pessoa, e pensava: "Ele não pode fazer nada, tenho de me acostumar com tudo isso, essas ideias são mais fortes do que eu". E sorria pacientemente. Algumas vezes Kristóf perdia a paciência com esse sorriso e protestava; mas, ao mesmo tempo, sentia que Hertha o aceitava, seu sorriso era de concordância, e de uma superioridade que não era atrevida, apenas a superioridade da companheira mais experiente e sábia. Agora era a vez de ele suportar essa superioridade. É, tinha de "suportar" Hertha desde o primeiro instante, não como um "peso doce", nem como alguém cuja personalidade e visão de mundo lhe dificultassem a vida; Hertha era totalmente conhecida, familiar, sem dúvida a mulher com quem ele, Kristóf Kömives, tinha pessoalmente algo em comum — às vezes queria mesmo que Hertha vivesse num país desconhecido e nunca tivessem se encontrado; então, provavelmente, poderia procurá-la "para sempre", justamente ela, esta Hertha. Kristóf consolava-se com essas ideias românticas. Ao mesmo tempo, tinha de confessar que, apesar de ter encontrado Hertha, mesmo assim tinha de "se consolar", e a todo instante, até a morte, estava disposto a "suportar" Hertha. Foi assim que transcorreu o período de noivado.

Com a velocidade dos acontecimentos do primeiro encontro, seria natural partir rapidamente para o casamento. Mas passou um bom meio ano até se casarem, na catedral de Buda. Hertha ficou esse período com os pais em Viena, é Kristóf ia visitá-la todo primeiro e terceiro domingo do mês, viajando de barco no fim de semana. Era meticuloso demais na organização de seu tempo. Hertha se conformou com o fato de que Kristóf chegaria sempre nesse e naquele dia e, mesmo que fosse tomado por um desejo incontrolável de vê-la, ou que Hertha ficasse doente, ou que ele conseguisse uma licença inesperada das atividades de seu ofício, ele não anteciparia sua viagem, chegando apenas no dia combinado. Hertha pediu que telefonasse algumas vezes, mas Kristóf, que não era nada mesquinho, pelo contrário, chegava a ser infantilmente cavalheiro quando o assunto era dinheiro, classificava de "desperdício" essas conversas telefônicas interurbanas e nos seis meses de noivado não telefonou nenhuma vez para a sua eleita. Kristóf assumiu "ser noivo" com seriedade e solenidade fora do comum — mais ou menos como um cargo civil com verba de representação. Nunca aparecia para ver a noiva sem um grande buquê de flores, enchia-a de presentes, comprou até um valioso anel de brilhantes, que Hertha colocou no dedo com um sorriso de aversão, um pouco irônico, olhando-o espantada. O anel, os doces, o buquê de flores, entregava-lhe tudo com solenidade, como a confirmar sua convicção de cumprir os deveres de marido, homem e cidadão. Hertha algumas vezes ria na cara dele, fazendo profundas reverências, chamando-o pelo título oficial e acadêmico completo. Nessas horas, Kristóf enrubescia e ficava parado diante dela com uma humildade correta e triste, como quem compreende a legitimidade da ironia, pede desculpas, mas não sabe fazer de outra maneira. Hertha compreendia o desconcerto e o consolava. Kristóf era irremediavelmente assim, como parecia ser; mas era Kristóf acima de tudo; e ela estava ligada a ele e sabia como lhe falar.

O longo período de noivado foi caracterizado por essa vontade de falar cheia de curiosidade e ânsia, que se estendia noite adentro. Como se o corpo estivesse silenciado enquanto duas almas se revelavam com sinceridade decidida e inquieta. Raramente se beijavam, e na maioria das vezes, depois de um início desajeitado e tímido, paravam assustados. Beijavam-se mais por obrigação, como quem sente que as tentativas de aproximação física fazem parte da condição oficial em que a ordem do mundo os encaixou, assim como terem de usar anel de noivado de ouro e escolher móveis, mas o tempo de se conhecer fisicamente ainda não tinha chegado, e não era certo que isso se daria logo depois do casamento. Esse tempo devia ser aguardado com paciência. Kristóf se mostrava extremamente casto em relação a Hertha, não com aquela continência correta e burguesa de noivo, que desaprova a antecipação das felicidades da vida conjugal, mas com um pudor inibido e sincero que combinava com sua essência íntima; Hertha compreendeu esse pudor, e mostrava com seu silêncio, seu olhar, seus atos, que o compreendia e também sentia assim. Descobriram sem paixão os corpos um do outro, mas conversavam de maneira irrequieta, apaixonada e com crescente curiosidade. A audácia mostrada por Hertha na maneira de pensar, de emitir opiniões, no modo instintivo de chegar a conclusões sobre questões humanas, reais e além da realidade comovia Kristóf. Essa alma não se contentava com respostas convencionais, regateadas; pressionava Kristóf impiedosamente, queria saber tudo, queria iluminar todos os cantos escuros da alma do companheiro escolhido, até lá, para onde Kristóf nunca tinha perscrutado, onde não era "conveniente" iluminar, onde Kristóf tinha medo de olhar. Algumas vezes, depois das passagens por Viena, depois das visitas regulares de noivo, certinhas, com buquês de flores, Kristóf voltava para casa, para o gabinete e para a vida familiar tomado de calafrios, como se tivesse ido atrás de algo licencioso, como se tivesse pecado contra as regras e a moral do mundo. Sentava-se incomodado à sua mesa de juiz; o que vai ser, pensava, se Hertha continuar assim tão "curiosa", se continuar agindo como uma espécie de autoridade superior, como um juiz em instância inapelável a emitir juízos sobre ele durante toda a vida? O que acontecerá com o "juiz" — às vezes Hertha se referia à profissão de Kristóf com reverência exagerada, como quem diz: "Sim, eu sei, você não pode fazer de outra maneira, você é o juiz, que nunca se engana, o infalível, mas não esqueça que eu também estou aqui observando!" —, o que será do juiz se tiver de recorrer de seus sentimentos, intenções e julgamentos junto a essa alma impiedosa?

As conversas que se estendiam noite adentro transcorriam na sala de estar da casa dos pais dela em Viena; esse ambiente também era um pouco estranho, era como os salões dos indivíduos da classe alta de seu país e mesmo assim diferente no clima, no conteúdo; era mais modesto e, ao mesmo tempo, mais elegante. Tudo era assim em torno de Hertha. Ambos vinham da mesma classe social, foram educados para ter as mesmas reivindicações e concepções, seguravam o garfo e a faca da mesma maneira, o estilo de vida dos pais de Hertha se caracterizava pela mesma atitude senhorial modesta e presunçosa de quem ocupa um posto importante que a família Kömives possuía; mas Kristóf ainda assim suspeitava de algo estranho no modo de vida e na visão de mundo de Hertha; talvez fosse mais modesta e, ao mesmo tempo, mais refinada, talvez a burguesia austríaca misturasse a matéria vital em outras proporções. Comiam de maneira diversa, divertiam-se mais discretamente, dosavam de modo diferente a conversa, a comida, o estilo de vida, as exigências. O general tinha por natureza um jeito de ser tranquilo em casa, mais retraído que marcial. Hertha se alegrava com uma flor — uma única flor — de maneira diferente, pegava um objeto de maneira diversa, aproximava-se de tudo que o dia oferecia com alegria serena, irradiava vontade de festejar o momento. O modo como se postava à janela para receber os raios de sol, ouvir música, festejar uma gostosa sensação física, um prato de comida à mesa, ou as gotas de chuva escorrendo pela pele, tudo isso era singularmente mais modesto, mais delicado e, ao mesmo tempo, mais à vontade, mais consciente que o modo de Kristóf de perceber a vida até então. Durante as discussões, a voz do general soava ameaçadora pelo senso de dever, pois a situação exigia tal tom, como os generais de comédia — mas esse alto oficial austríaco, que durante a guerra mandou, por motivos estratégicos nunca devidamente esclarecidos, quatro mil soldados para a morte, era capaz de escutar absorto Hertha tocar violino, era membro da sociedade protetora de animais de Viena e, aos domingos, com mochila nas costas e sapatos adequados, partia para as florestas próximas a Viena, retornando ao lar com um buquê de flores. Logo começou a chamar Kristóf de "Christopherl", afeiçoando-se a ele de todo coração, e, como um amigo ciumento, procurava sua companhia de maneira quase infantil. "Outra cultura, outra forma de expressão!", pensava Kristóf, dando de ombros. Mas em segredo tinha medo desse "outro", e talvez tenha sido esse medo que esticou o tempo do noivado. Esse "outro" era representado em tudo e por tudo por Hertha, essa atraente "outra" feita de matéria mais nobre, que Kristóf nunca conseguiu desvendar totalmente com palavras, fazer sua — será que se desvendaria na convivência física, no casamento? Hertha possuía outro ritmo — mais exuberante, mais envolvente e imprevisivelmente afeto a algumas formas musicais, como os *capriccios*; Hertha era única, disposta a surpreender a qualquer instante a si mesma e a seu entorno com alguma característica nova de sua personalidade. Já se conheciam havia seis meses quando Kristóf começou a suspeitar que não era possível "conhecer" Hertha — não que fosse misteriosa, absolutamente, mas o olhar com que algumas vezes o recebia ou seguia dava leves arrepios em Kristóf, como se alguém estivesse a observá-lo e estudá-lo o tempo inteiro.

    Celebraram o casamento em Buda, na sacristia da velha catedral. O general postou-se atrás de Hertha em roupas militares de gala e chorou. Depois do casamento, renunciaram à viagem de lua de mel, foram até a nova residência e lá ficaram. Eszter, a primeira criança, nasceu no final do segundo ano; o menino, no ano seguinte. Haviam se passado seis anos desde o nascimento da segunda criança. Hertha era tranquila e serena. Kristóf achava que era feliz. Na vida deles, assim pensava, tudo era mais simples do que se podia imaginar. Hertha também era "mais simples". Para além dos problemas da vida doméstica, das exigências afetivas das crianças, existia um acordo quanto a um profundo e tácito sentimento de pudica religiosidade, que se insinuava com sinceridade na alma de ambos. Hertha raramente ia à igreja, nunca falava de sentimentos religiosos, e, com o tempo, Kristóf percebeu não ser especialmente fervorosa nos exercícios espirituais. Provavelmente acreditava em alguma coisa — às vezes Kristóf pensava no padre Norbert e procurava imaginar o que ele pensaria da fé de Hertha. Para se tranquilizar, acreditava que a fé de Hertha era boa dessa maneira, uma fé imperfeita e informal, mas verdadeira no jeito como ela a sentia; e era o suficiente.

7.

A varanda da casa de Buda dava para um pequeno jardim abafado; naquela noite quente, os anfitriões montaram as mesas entre os pilares da varanda. Kristóf chegou tarde, os convidados já estavam sentados às pequenas mesas. A porta dava acesso à sala de visitas da habitação de dois pavimentos; o térreo da casa era ocupado por dois quartos e pelas salas de estar e de jantar. Os donos dormiam no pavimento superior. Uma parte da casa fora construída ainda nos tempos da ocupação turca; o cheiro de mofo dos quartos nunca saíra totalmente do forro do teto abobadado, e a porta e a janela eram de um estilo vagamente arcaico. Lá no alto, nas redondezas do castelo de Buda, naquelas ruas de alguns séculos, com manutenção esporádica, entre os palacetes elegantes refugiavam-se imperceptivelmente essas estreitas habitações unifamiliares. Sob as coberturas ogivais, remendadas com ripas, viviam, principalmente em quartos de aluguel, atrás de janelas decoradas com gerânios, esquecidos descendentes dos rudes artesãos do século anterior e funcionários públicos dos ministérios; nos prédios herdados e desconfortáveis apertavam-se famílias de nobres aposentados com pouco dinheiro: eram eles os legítimos habitantes do tranquilo bairro; e entre eles, ao seu lado mas sem se misturar, se infiltrava a nova população, uma burguesia que enriquecia e se refinava, geralmente a segunda geração, ou escritores e artistas avessos aos "modismos", que em quatro ou cinco ruas procuravam o *"spleen"*, o "estilo", um pouco a vizinhança dos chiques e um pouco seu próprio isolamento sofisticado, aquele silêncio particular que, do alto da cidade, espalhava-se pelos quartos abobadados, pelas casas desconfortáveis sob os tetos desmoronados. "Morar no bairro do castelo" era uma coisa fina, mesmo para aqueles cujos antepassados, cem anos atrás, não viviam ali como condes ou sapateiros. Era uma situação que expressava certo refinamento e um pouco de afetação; havia nela teimosia e nostalgia, pretensão e ambição, e ao mesmo tempo uma certa visão de mundo, que, não obstante a recíproca animosidade e suspeitas, no fim das contas era comum a todos que moravam nas casas mofadas das ruas estreitas: os condes, os funcionários públicos de nome duplo que ocupavam quartos de aluguel, os rudes artesãos esquecidos, os judeus elegantes em boa parte convertidos ao catolicismo, cujo estilo de vida imitava, de maneira discreta e perfeita, as esquisitices dos habitantes dos palacetes. Kristóf conhecia bem esse quarteirão, todas as manhãs caminhava pelos muros do castelo de Buda, conhecia os castanheiros e, lá embaixo, o bairro burguês que se abrigava com humildade feudal abaixo dos baluartes e palacetes; conhecia muitas casas nos arredores do castelo, conhecia alguns rostos de crianças, jovens e condessas que, em seus carrinhos, passeavam com suas babás, atentas a que não se misturassem à turba de pequenos intrusos proletários que chegava lá do bairro de Kriztina. Kristóf parou na soleira e olhou ao redor. Com seu olhar míope, divisou a cena familiar, os cômodos nos quais conhecia cada móvel, se não pessoalmente, ao menos por afinidade, como se conhecem os trajes de uma pessoa da mesma classe social. Ali estavam, no fundo do quarto abobadado, o piano coberto com renda turca, a luminária de chão, a mesa que veio da Bósnia com a cigarreira de prata, duas paisagens na parede — "cascata" e "alvorada no bosque", ambas obras feitas pela dona de casa para o exame da escola de arte —, o para-fogo bordado, a cadeira de balanço de cerejeira coberta com uma toalha branca de crochê, a mesa oval de pereira e o lustre de cristal de seis braços que pendia do forro e aconchegava uma águia napoleônica. Era tudo conhecido; era o lar. Em algumas casas faltava o piano, em outras havia uma coleção de cachimbos ao lado da biblioteca, mas em todos os lugares, sobre a escrivaninha cheia de gavetas, pendiam os quadros da família; nos últimos tempos, entre as porcelanas de Holics do armário de vidro, entraram furtivamente algumas peças coloridas, graciosas e inventivas, feitas pela indústria de arte aplicada, uma corcinha de vidro ou um cão bonzo que sorria numa expressão misteriosamente estúpida.

A noite estava clara, de uma luminosidade improvável ainda, de verão. No "jardim" havia algumas árvores, arbustos e uma única rosa, plantada com cuidado e contornada com seixos brancos; antigamente, o jardim deve ter sido um pátio com piso de pedra cujo muro, com a pequena porta pintada de verde, fazia divisa com o passeio do bastião. Da escadaria da varanda, através da parede de pedra, tinha-se vista para as montanhas de Buda. No ar pairava o odor da fermentação: a tenra folhagem e o cheiro do mosto das frutas mais que maduras. Ao lado do muro, sob uma nogueira, Kristóf viu sua esposa e sua irmã mais velha sentadas numa mesa redonda, coberta com uma toalha colorida. Cumprimentou-as sorrindo, distraidamente, aliviado; o embaraço, a quase paralisia que o assaltava nos primeiros instantes num lugar desconhecido, dissolveu-se ao vê-las. O rosto de Hertha resplandecia cândido e amistoso em sua direção; a boca tenra sorria e os olhos brilhavam; e então aquele corpo conhecido voltou-se para a irmã com um gesto íntimo, Hertha disse algo e começaram a rir. "Estão rindo de mim", pensou Kristóf, mais com alívio do que contrariado. Sabia que estava parado de modo um pouco agressivo e tímido à porta da casa desconhecida, rígido e solene; agora Hertha estava se divertindo com o embaraço de Kristóf... deixando-se envolver pelo fluxo agradável que emanava do grupo de pessoas ali, ele também sorriu, mirou titubeante o entorno, procurando a dona da casa, reconheceu seu irmão parado junto ao muro, de uniforme, as calças amarelas cuidadosamente passadas, copo de vinho na mão, fazendo elogios a uma senhora já não jovem, de cabelos encaracolados e formas opulentas, que vestia uma blusa de seda branca; "reconheceu" tudo, como se toma conhecimento do lar, o embaraço da chegada se atenuou, acertou a postura e tranquilizou-se. Viu o dono da casa no canto da sala de estar; estava sentado sob a luz tênue da luminária de chão, ao lado do vinho e dos charutos, acompanhado das duas visitas mais idosas e respeitáveis, o presidente do conselho e um famoso advogado de defesa. Caminhou na direção deles e alegrou-se com a cordialidade fraterna com que os mais idosos logo o acolheram.

Sim, esta era a família. Não era boa nem má, não se podia julgá-la, apenas suportá-la, pois se tratava de uma comunidade indissolúvel, como toda família. Kristóf acomodou-se nessa familiaridade, como quem se abandona a uma sensação física agradável. O "chantar" já transcorria numa atmosfera de gosto de vinho. No quarto ao lado, os jovens jogavam baralho e escutavam discos que rangiam no fonógrafo. Enquanto os observava, uma palavra lhe veio à mente: "juventude" — distinguindo-se assim com seus trinta e oito anos, que já lhe pareciam uma idade respeitável. A vida, pensou, acontece de verdade até os quarenta, quarenta e cinco anos. É quando já se sabe algo de concreto, de verdadeiro; esse conhecimento não é sábio, nem profundo, nem satisfatório; mas, os vivos e os mortos mostram, a vida se repete maravilhosamente, nada acontece como esperamos, nada é espantoso. Surpresa verdadeira, pensou, só existe uma na vida: quando descobrimos que nós também, pessoalmente, somos mortais. Essa descoberta foi feita por Kristóf aos trinta e oito anos. Aquela sensação física de origem puramente nervosa, por sorte passageira, quando por um segundo sentimos que algo pode acontecer também conosco... o quê? Talvez nem seja ruim o que possa acontecer — mas é algo com que não se pode contemporizar; e depois o mundo continua num estado frio e artificial, como se um olho de vidro tivesse registrado por um instante as nuvens, as casas, os rostos das pessoas... Acendeu um cigarro e continuou a observar. A "juventude" comentava o jogo de cartas no quarto ao lado e dançava ao som de acordeão uma música latino-americana que despertava desejos indecentes. Kristóf estava sentado do outro lado e ouvia essa música despudoradamente chorosa, provocante e repulsiva. "Os que se separam", pensou sem refletir, "são aqueles em quem essa música desperta desejos." Sorriu embaraçado, como quem sente vergonha da generalização arbitrária e barata. Verdade, isso também era a família, a "juventude". O que sabia sobre eles? Mediu-os com desconfiança. Saudou a dona da casa, depois o instinto dirigiu-o para os "mais velhos", em quem sentia mais confiança.

 Os velhos conversavam com prudência e poucas palavras. O presidente do conselho, com um gesto paternal e familiar, chamou Kristóf, ofereceu-lhe fogo e olhou-o com carinho e orgulho. Kristóf era de certa forma seu pupilo. A maturidade, a prudência, o senso incondicional de fidelidade à corporação e à família, a atitude confidencial cheia de respeito pela hierarquia, a disciplina, o modo com que Kristóf juntou-se a eles desde o primeiro instante, tudo isso despertou no velho juiz um sentimento sincero: Kristóf era aquele a quem se podia confiar a tradição, os segredos da profissão, as astúcias da prática, o espírito. O velho magistrado não tinha dúvida de que Kristóf, assim como o pai e o avô, iria longe nessa carreira rigorosa e exigente. Conhecia essa alma, bastavam poucos olhares e meias-palavras para perceber as afinidades que havia entre eles. Kristóf era aquele que podia ser iniciado. A pessoa que não era preciso convencer, cujo quarto de infância já estava repleto dos princípios sobre os quais o velho juiz construía sua doutrina de convivência comum. O juiz sabia que Kristóf também queria salvar a sociedade — nem era necessário discutir com ele, todas as suas palavras irradiavam sentimento, fé e convicção. A sociedade podia ser confiada a ele... Mas por detrás do véu de fumaça do charuto, o velho magistrado olhava e ponderava o jovem juiz de maneira reflexiva. "É um pouco formalista demais", pensou. "É a correção personificada. Nunca se excede no vinho, nunca pronuncia algo que não seja pertinente." O juiz estava próximo dos setenta, já tinha visto de tudo, já vira as pessoas mais nuas do que apenas sem roupa, acreditava conhecê-las a fundo. Observava essa "correção" de Kristóf com intranquilidade. "Uma pessoa que se controla assim tão escrupulosamente", refletia agora, "é uma pessoa que espera resposta para uma pergunta, que ainda não disse algo, que tem dúvidas. Mas esse homem não devia ter dúvidas. Ele é o herdeiro. Se alguém não devia ter dúvidas, esse alguém é ele." Olhou para Kristóf quase com rigor. Sabia tudo a seu respeito, conhecia a vida familiar, no gabinete algumas vezes o convocava e o interrogava confidencialmente, como se fosse membro da família. "Talvez seja o católico que há nele", pensou agora, e com uma mão dissipou a fumaça num gesto lento, como se quisesse ver Kristóf com mais nitidez . "O católico que perdoa. Aquele cuja índole não é deste mundo." O velho juiz era protestante, frequentara uma escola protestante do interior famosa por formar o caráter dos alunos. Pensou que talvez fosse justamente esse "catolicismo" que atraía tanto em Kristóf, essa "vontade de perdoar" disciplinada, essa nostalgia disfarçada em correção, uma nostalgia complicada que o velho juiz conhecia e reconhecia nas pessoas: a saudade de um "outro mundo".

Mas agora se tratava desse mundo — dessa realidade tangível que, para ambos, o velho e o jovem juiz, era igualmente preciosa. O velho juiz não considerava muito o "patriotismo", nem como discurso, nem como programa. Considerava o país, e isso era tudo, a vida. Era preciso salvá-lo. Cada qual em seu lugar. Analisava Kristóf com olhar inteligente. "Que essa alma não se abrande", pensou. Ele é a elite, é necessário. Agora não se tratava de "humanidade", nem de "verdade"; tratava-se de mais, das árvores, das terras, das pessoas que viviam nesse lugar. Inesperadamente, começou a falar sobre o julgamento do dia, sobre o famoso processo político que naquelas semanas ocupara a opinião pública. Os jornais publicavam com estardalhaço os acontecimentos do tribunal: o acusado, um funcionário graduado do interior, descendente de uma família tradicional, cometera uma fraude no exercício de suas funções e ficara totalmente arrasado no curso do processo. A sentença soava muito severa: prisão, perda de emprego, perda dos direitos políticos. A dura condenação deixou a opinião pública inquieta. Os jornais propagavam essa intranquilidade com potentes alto-falantes, as pessoas ficaram sensivelmente insatisfeitas depois do julgamento. O velho juiz mencionou o processo, encostou-se na poltrona e silenciou; deu direito à palavra como se esperasse uma sentença superior, uma crítica; e os outros três, o dono da casa, o advogado de defesa e Kristóf, olharam espantados, porque não era característica dele tolerar um debate sobre a *res judicata*, sobre a sentença do juiz. Mas agora era como se esperasse os apartes: acomodou o corpo imponente na poltrona, inclinando-o para o lado; os dentes estragados mordiscavam com desleixo o charuto, os finos e frágeis dedos da mão manchada, num dos quais havia um anel com um brasão, seguravam-no frouxamente, e seus olhos cansados e inteligentes perscrutavam o teto com interesse. Todos silenciaram desconcertados; depois o dono da casa concordou com uma argumentação prudente. Era um refugiado da Transilvânia, morava havia apenas uma década na capital; iniciara a carreira de promotor numa grande cidade do interior da antiga Hungria; depois da derrota, mudara-se para o que restou do país, aposentara-se e retirara-se insatisfeito, nervoso e solitário. Sua esposa, uma condessa da Transilvânia, herdara aquela casa mofada no castelo de Buda. Como toda pessoa cuja carreira foi interrompida por circunstâncias externas, por um acidente abrupto, o antigo procurador tinha em relação aos colegas de profissão um ciúme secreto, quase inconsciente, com um vago sentimento de culpa; sabia que não tinha razão, ninguém pessoalmente tinha feito nada contra, apenas o tempo passara por ele, a silenciosa queda da nação o desviara da rota. Em casa, na grande família, todos lhe queriam bem. Foi ele quem se retirou da vida pública, voluntariamente. Se quisesse, poderia ter servido por mais tempo; ele reconhecia tudo isso, curvava-se diante do destino, mas impulsos obscuros mais fortes que sua razão e compreensão o levavam a olhar com ciúme o sucesso dos antigos colegas de carreira, sentia que o "mundo húngaro" não estava em ordem, a acusação não era acusação, a sentença não era sentença sem ele! Falava baixo, com voz sufocada. Ele aprovava a pena severa; talvez entendesse essa manifestação de compaixão se fosse o engano de um tesoureiro, um funcionário de uma empresa privada, alguém cuja obrigação de prestar contas é apenas com a empresa ou o patrão, mas aquele membro da elite, aquele funcionário público, para quem a profissão era apenas um *nobile officium* — pronunciou com força as palavras latinas, quase com arrogância —, aquele sangue de seu sangue não poderia enganar-se; sua culpa recaía sobre eles também, sobre a classe nobre que ocupava postos públicos. Levantou a acusação e pronunciou a sentença. O advogado de defesa emitiu sons de dúvida. A cabeça do presidente do conselho, como se ele estivesse dormindo, pendeu sobre o peito.

— E você, Kristóf? — perguntou inesperadamente o velho juiz num tom de voz cortante; e seu olhar, como o olhar de um ser pré-histórico ao despertar de um preguiçoso descanso, voltou-se para Kristóf. O velho estava tenso. Aquele olhar preguiçoso, sonolento, depois subitamente agressivo, que poucos suportam sem perturbação, espantou Kristóf. Amistosamente e com gentileza, um pouco inclinado para a frente, o velho meneou a cabeça, frouxamente por causa da idade, mas ainda assim de prontidão e com uma obstinação e uma tenacidade que seu corpo idoso não escondia, e encarou Kristóf. Foi o olhar de quando se conheceram, quando aquele colega mais velho, respeitável e prestigioso, como que esperara uma crítica de Kristóf, uma opinião pessoal. O juiz, o promotor, o advogado, todos sentados ao redor da mesa sob a tênue luz da luminária de chão, voltaram-se para ele, aguardando. Tinham a vaga sensação de um momento significativo: esperavam a tomada de posição de Kristóf, do mais jovem, a resposta daquele que iria sucedê-los; aquele homem que irá substituí-los, será que assume convicções incondicionalmente, sem concessões? Ele também sentia a importância do momento. Nessas ocasiões imprevisíveis, um homem de repente se apresenta; depois não acontece nada, a vida continua, o juiz julga, prossegue na carreira, distribui justiça onde pode — mas a geração que se despede, antes de passar o posto, por um instante o encara. Seus olhos detiveram-se no rosto do velho juiz, os olhares se encontraram. Kristóf conhecia o processo, sabia dos bastidores do escândalo político, tinha entendido e decifrado a trama complicada, conhecia também o sofrido herói daquele caso. Enquanto formulava a resposta, ou melhor, procurava as palavras para a única resposta possível, ouviu com surpresa sua voz dizer em tom cansado, sem coloração, mecânico: "A sentença é injusta". A resposta foi curta e grossa. O velho juiz não se moveu, não emitiu sinal de aprovação ou de protesto; olhou gentil e atenciosamente para Kristóf, depois depositou com um gesto lento o charuto no cinzeiro, entrelaçou os dedos sobre a barriga, recostou-se na poltrona e, cansado, cerrou os olhos, como a preparar-se para dormir. Kristóf permaneceu em silêncio, como se aguardasse resposta; mas como ninguém disse nada, fez uma reverência e dirigiu-se ao quarto vizinho. Na soleira ainda sentia nas costas o olhar rígido dos três homens.

8.

Precisou parar na soleira. "O que acontece comigo?", pensa, e se apoia delicadamente no batente. Para na porta com a postura de homem que observa; as pessoas lhe dirigem sorrisos e olhares que o ultrapassam. Está tonto. É aquela tontura nervosa, ou uma variante dela; porque nesse "nervosismo" é possível distinguir diversos tons, e Kristóf já conhece algumas variantes. Logo percebe que "não há nada grave", respira fundo, pega o lenço, enxuga o rosto, endireita a postura. Não precisa sentar. Não precisa beber água. Não precisa ir para casa, nem chamar um carro, não precisa fazer sinal para Hertha. Foi apenas uma "pequena tontura", semelhante a um toque de campainha curto, agudo e cortante, talvez o soar instantâneo de um alarme. Que já passou. O quarto está de novo iluminado, todo mundo está no lugar, ninguém esbarrou, ninguém percebeu nada. Kristóf sorri com cuidado, educado, respira devagar e profundamente. Depois se recompõe, come alguma coisa, bebe um copo de vinho com água, vai até sua irmã e Hertha, senta-se e fica em companhia delas pelo resto da noite. Voltam cedo para casa. Agora já sente o sangue circular ativo e quente pelo corpo, o rosto volta a ficar corado, é o fim do "pequeno" ataque. Basta permanecer forte. Já aprendeu que o corpo é covarde, encolhe-se como fera acuada quando lhe mostram um chicote. A alma é tudo, pensa. Mesmo assim fica um tempo na porta, numa postura leve, social; sorri, olha para o nada, como quem apenas encostou no batente, observa e não consegue decidir em qual mesa sentar. Ficar forte, cerrar os dentes, sorrir, discretamente enxugar o suor frio da testa. Que sensação é essa? O que acontece nesses casos? É um estado tão "vergonhoso" — Kristóf não consegue encontrar outra palavra para definir a sensação, mas às vezes sente que tudo seria preferível a essa vergonha, mesmo o aniquilamento; nada é mais humilhante... Agora pensa: talvez nem a confissão. Confissão? Que confissão? A quem ele deve confessar? Não existem segredos na sua vida... e sorri. Se tiver de morrer, hoje, nesse instante, não deixará nenhum segredo "qualificável"; não, o promotor lá do outro quarto não encontraria nas gavetas de Kristóf nenhum material para processo, poderia ler todas as anotações, poderia examinar todas as cartas, Kristóf não tem "segredos". Hertha também não encontraria segredos em seus bolsos, gavetas, armários. Sua vida, como se costuma dizer? — é um "livro aberto". A expressão tem sabor desagradável, convencional demais. Sua vida não tem nada a ver com livro nenhum. Por que então essa torturante e embaraçosa sensação de vergonha? Vergonha de quê? Como se receasse que algo fosse descoberto — imediatamente, no instante seguinte, algo irreparável. E agora sente de novo a tontura, o sangue não lhe chega à cabeça, que Hertha não olhe para cá, já vai melhorar, é impossível que esse distúrbio, esse curto-circuito tenha motivo ou significado... O que aconteceu hoje? Ou ontem? Ou há alguns instantes? É, talvez devesse ter respondido outra coisa... Mas Kristóf sabe: há momentos em que não se pode responder de outro modo; os alto-falantes da alma gritam sempre a mesma coisa, a mesma resposta, ditada pelo caráter; até o padre Norbert sabia dessa compulsão... Aqui existe algo nas pessoas que é inalterável. Caráter? O que é isso? Mas esse caráter não seria "ele", o corpo, os instintos, a razão, o gabinete, o papel, a origem, tudo que significa Kristóf Kömives neste mundo? Que Hertha não o descubra nesse instante parado na porta, sem conseguir se mover.

Passados alguns instantes, caminha pelas mesas, pelo jardim, puxa uma cadeira, senta-se ao lado de Hertha, em frente à irmã. Mais tarde seu irmão menor se junta ao círculo familiar. Há tempos não se viam. Está servindo no interior, sem esperança de ser transferido em breve para a capital. A irmã mora distante dele, em Peste, num bairro residencial de periferia. Durante a semana, não sai de casa, aliás, construída com financiamento. Sua vida se dilui nas doenças e nos desejos das crianças, é um acontecimento festivo quando "vem para a cidade", o percurso de bonde parece uma viagem, não frequenta teatros ou reuniões... Kristóf olha atentamente sua irmã, o irmão também se senta sob a castanheira, separaram-se dos outros convidados, atitude um pouco deselegante, como se parte da grande família se rebelasse e agora se reunisse para um conselho... Hertha o mede da cabeça aos pés e depois vira o rosto; não percebeu nada. Essa indiferença o tranquiliza mas, ao mesmo tempo, desperta ciúme e ressentimento; Hertha devia sentir, perceber que hoje ele estava de novo "naquele" dia... Para que palavras? E queixas? Para que serve uma relação se Hertha não "sente"? Mas ela não sente. Falam sobre crianças, sobre escola. Sua irmã está sentada ereta, rígida, aquele corpo não relaxa, todos os gestos são disciplinados, sorri constantemente com os olhos azuis, é inacessível. Não sei nada sobre ela, pensa Kristóf, quase assustado. Emma, de mãos juntas sobre o peito, está sentada, por um lado afável e por outro quase só sociável, sob a castanheira. Tem sorrisos para todos, conversa por frases prontas que nada querem dizer; Kristóf a observa, como se não a visse há anos, e com um espanto cada vez mais teimoso, intranquilo, sente: não sabe nada sobre ela, nada. Gostaria de tocar a mão ou os ombros da irmã, de adverti-la solicitando: por favor, diga, fale finalmente algo sobre você... Os olhos azuis são sorridentes e vazios. Agora Kristóf sente com todos os nervos que essa alma se trancou, Emma cumpre tudo que esperam dela, Deus, família, pai, marido, filhos... E já está tão longe de tudo e todos, das lembranças e do presente, dos irmãos e do marido, talvez até dos filhos, como se vivesse em algum outro lugar, remoto e estranho. É, Emma "cumpre seu dever" — sem fazer cara de mártir, com naturalidade, com presteza; talvez ela seja a "ideal"; nunca lhe perguntaram o que espera da vida, sempre assumiu todas as imposições, suportou que freiras a educassem, suportou o marido, esse químico que se acha importante, sempre procurando pelo em ovo, membro da sociedade turânica, que estuda a história remota da Hungria, e visita Kristóf de tempos em tempos com tanta cerimônia, como se visita um superior... Mas Emma nunca disse nada sobre o marido, nunca falou com Kristóf sobre "felicidade", ou sobre infelicidade, Emma nunca será a parte sofredora nas atas de um processo de divórcio, Emma é uma esposa fiel e mãe prestimosa, educa os filhos míopes e durante meses não tira os pés de casa. É, Emma é a encarnação do ideal de esposa. E não falará nada até morrer. Não dá mais para encontrar caminho de acesso a essa alma. Quando ela se trancou? Quando uma alma se fecha? Emma, a olhos vistos, não é propriamente infeliz, sua introversão é plena, absoluta, como a de uma planta em flor, seguindo uma lógica complexa, fecha suas pétalas numa situação de ameaça; pode-se fazê-las em pedaços, pode-se destruí-la com um simples gesto, mas ela não entregará voluntariamente seus segredos... "Então o que é isso?", pergunta Kristóf, e escuta a longa conversa sobre o preço abusivo dos livros didáticos e sobre a praticidade dos uniformes escolares; o que é isso? O que acontece hoje comigo? Por que essa hipersensibilidade? Provavelmente apenas "nervosismo"; a realidade está aqui à minha volta, cheguei de meu gabinete, estou cercado de amigos, amigos talvez um pouco curiosos, talvez aquela pergunta sobre minha opinião pudesse não ter acontecido; pode ser que tenha fumado demais hoje; não tive férias, aquelas duas semanas em Balatonfüred não ajudaram muito, sinto muita raiva, muitas vontades, tenho muito trabalho, amanhã tenho quatro audiências, tenho de separar meu colega de escola Imre Greiner de uma certa Anna Fazekas, com quem joguei uma vez tênis na ilha, de manhã Hertha pediu para eu não me atrasar muito, amanhã começam as aulas das crianças, tenho de levar o pequeno à missa... É, já podíamos ir embora. Isso é vida social, antes, de manhã e de tarde, era o gabinete; e agora podemos ir para casa, para a vida familiar. Tudo isso é concreto, e esses vários tipos de vida são reais. Então o que falta? Gostaria de saber em que Emma está pensando...

Mas Emma sem dúvida pensa naquilo que diz: era hora de unificar os livros escolares, os pais que mandem uma petição ao ministério, que no inverno as aulas comecem às nove em vez de oito, o menino foi coroinha em dezembro passado e se resfriou na igreja gelada; este ano conversará com o professor de religião e pedirá dispensa para Ervin. Depois falaram de um tecido qualquer; e depois, que os Erzeys estão se separando. Emma tinha pena deles. A mulher está tão pálida e assustada, ontem a visitou, ela contou tudo, chorou, Emma a consolou como pôde, mas não há o que fazer, o casamento está se desfazendo, parece um velho móvel vazio, estão juntos apenas para manter as aparências, a relação é frouxa, apodrecida, está desmoronando. Não existem palavras para descrever essa tragédia, não dá para culpar nenhum dos dois, não foram feitos um para o outro, penaram durante anos, depois começaram a adoecer; Lajos foi internado duas vezes num sanatório por causa dos nervos e do estômago, depois voltou para casa e recomeçaram aquela vida infernal, a pequena Adél é tão ingênua e desorientada, não entende, não consegue compreender essa situação dolorosa — "mas nós nos amamos", disse ontem para Emma e começou a chorar —, mas já se resignou, acha que será melhor assim, separados — melhor? É possível na vida que algo seja "melhor"? Será como for possível. Viverão, como puderem, separados; tudo é melhor que esse inferno sem sentido, vagaroso, burro, que esses anos em que tudo se desfaz dentro de uma família sem que haja "razões", sem que nada degradante tenha ocorrido, Lajos não traiu Adél, não existe outra pessoa no horizonte, Adél não entende, não entende. Mas agora já se resignou. Silêncio. Hertha olha para Kristóf, está tão solitário entre eles, o que acontece com esse homem? Nos últimos tempos, quando a família esporadicamente se reúne, está sempre calado, solitário. Kristóf percebe que é observado por todos, até pelo irmão, Emma olha pasma para ele enquanto fala, como quem espera uma resposta, como se dissesse: você é o juiz, o especialista, essa é a sua profissão, responda então: por que Lajos e Adél não conseguem viver juntos, mesmo "gostando um do outro"? Kristóf olha para seus sapatos, entorpecido, cansado. É, essa é a pergunta padrão. A pergunta chata. Por que isso interessa tanto a Emma? Lentamente, percebe que o rosto de Emma se fecha ao sentir seu olhar, e a ansiedade da pergunta desaparece de seu semblante.

 Nada sei sobre Emma, pensa. Já foi embora, talvez há muito tempo, não se distanciou apenas de nós, mas de tudo e de todos. Mas resiste bem! Agora vive assim, criará seus filhos, aparecerá algumas vezes, fará perguntas, por que Lajos não consegue viver com Adél? — mas depois imediatamente recuará e silenciará. Prodigiosa serenidade. Uma alma inviolável. Preciso aprender com ela essa inviolabilidade, pensa Kristóf, talvez exista um método para isso... Como para os faquires que se deitam nas brasas... Que exagero! Pensa irritado: "Onde estão as brasas?". Isso é apenas a vida, a vida de Emma, é preciso suportá-la, esse é o segredo, e não existem métodos. "Suportem", diz então em voz alta, como quem finalmente consegue reunir os pensamentos dispersos e nebulosos numa única palavra impetuosa. Hertha olha para ele, seus olhos sorriem. Emma meneia a cabeça, quase solenemente. O irmão se cala, está parado numa postura elegante, frágil e nervosa, com seu uniforme de gala, é tão diferente, tem um físico diferente do meu — pensa Kristóf de passagem. Sim, eles me entendem, o juiz se pronunciou, não há apelação, julgou, a vida tem de ser suportada, não absolveu nem Lajos nem Adél. Hertha olha satisfeita para ele e, com um gesto íntimo, pega sua mão; mas Kristóf se esquiva.

9.

Sobre a mesa, entre copos vazios e pratos com restos de comida, jaz o jornal da noite. A manchete anuncia a guerra em letras garrafais. "Onde fundiram esses caracteres tão enormes?", pergunta Kristóf, como quem quer falar de outra coisa. "Talvez na mesma fábrica dos canhões..." Pega o exemplar com os dedos, com cuidado para não sujá-los de tinta. O gesto é afetado, instintivo. A mão para no ar, volta aos joelhos, o irmão abre o jornal, segura-o diante dos olhos, lê com vagar as notícias alarmantes. Já está escurecendo, as luzes da casa são acesas. A luz de um lampião de gás do passeio do bastião cai sobre eles através do muro. Na outra mesa falam da guerra. Já falam da guerra com naturalidade, assim, como se deve, sem palavras eloquentes, como se fala no dia a dia sobre a vida e a morte. O irmão larga o jornal, cruza os braços, encosta a cabeça no tronco da árvore. Nesse instante, o juiz sente um afeto indescritível pelo irmão mais jovem; gostaria de pegá-lo pelo braço, sair com ele; sua postura, o modo como movimenta a cabeça, é tudo tão "de menino", tão conhecido, tão melancolicamente correto. Foi assim que ele caminhou no último ano entre eles, quando o pai pegou-o pela mão e o irmão não teve coragem de pedir algo que realmente desejava... Tem vontade de pedir que exprima um desejo. Agora o irmão já é grande, adulto, usa uniforme com duas estrelas, também é o orgulho de seus superiores, os Kömives mostraram que são capazes, nunca pediram proteção ou algo irregular, o irmão é, por um lado, um excelente soldado e, por outro, muito pobre... Agora também, mesmo de uniforme, tem algo de colegial. O irmão mais jovem não tem nada de marcial, nem é "chique" — o juiz observa o irmão na penumbra, conhece esse tipo e pensa como são diferentes esses jovens soldados, parecem mais ser um tipo monástico, jovens sacerdotes seculares... E que vida modesta levam! Para eles, o uniforme não mais significa parada militar, não fazem o cigano tocar no bar, não bebem champanhe, não jogam cartas e não saltam valas apenas por diversão; durante anos, sentam-se nos bancos da escola militar, a cada ano um novo exame, esperam o ônibus segurando uma pasta, e são sérios, modestos, devotados, como se tivessem feito votos de pobreza e castidade, como se fizessem parte de um ordem secular extremamente rígida, com regras sacerdotais. O irmão nunca fala de sua vida. Algumas vezes se encontram, ele vem passar férias, está sempre estudando para algum exame ou cumprindo uma missão... É, esses já são soldados diferentes dos que seu pai conheceu. Essa juventude que se seguiu a Kristóf é diferente, ascética. O que esperam da vida? O irmão não participa das discussões sobre a guerra, não assume papel de entendido no assunto, não faz soar sua espada, não promete derrotar todo o mundo e ocupar a capital do inimigo em cima de um cavalo branco — apenas olha diante de si, ouve, sério, a discussão, e algumas vezes meneia a cabeça. Quando chegar a sua vez, o irmão irá para a guerra dessa maneira silenciosa, séria e prestativa, e ficará onde mandarem;

silencioso assim, sério assim e prestativo assim será ferido ou morrerá na guerra e até o último momento não dirá o que pensa de tudo isso. Agora também apenas ouve os outros, como se não fosse entendido em batalhas e ataques; escuta os outros, como se fosse o único "civil" na reunião, atento e cortês.

"Querido irmão!", pensa Kristóf; e gostaria de exprimir seu afeto de alguma maneira. Mas os Kömives não são efusivos, e o irmão certamente estranharia, talvez até enrubesceria se Kristóf o procurasse com esse tipo de explosão sentimental. Kristóf também não gosta dessas explosões efusivas desmedidas. Teve um dia um pouco nervoso, isso é tudo. Mas Kristóf Kömives não pode ser assim "nervoso", não pode sentir esses lampejos e tonturas e perder o controle de tudo. E enquanto o irmão se cala, os outros falam prestativamente sobre a guerra: é fantástico como entendem do assunto, é como se algo já tivesse acontecido, como se hoje a guerra não fosse tão improvável e inimaginável como ontem. Ninguém acredita nela, ninguém a deseja, ainda está longe, mares e montanhas separam a guerra da paz, ainda negociam e explicam. Ninguém pode imaginar como começa uma "guerra moderna". Quem toma parte nela e contra quem? Não dá para imaginar bombas de mil quilos, nem gazes nocivos perfeitos; tudo isso é inverossímil e irracional, não interessa a ninguém. Não dá para imaginar que num instante é possível estar tranquilo no quarto, conversando, e no instante seguinte Londres ou a montanha de São Geraldo não existem mais. Isso naturalmente é uma fantasia ridícula. Não se pode falar de guerra, pelo menos não como falam nos cafés os fofoqueiros e os profetas do apocalipse — a paz sorri de todos os lados, verdade que um sorriso um pouco forçado e amarelo; em toda parte aparecem "sinais de recuperação econômica", a civilização floresce e é cada vez mais perfeita, a guerra não pode começar porque de um dia para outro a civilização acabou. A guerra provavelmente vai começar assim... Todos dizem alguma coisa, e Kristóf escuta nervosamente, como se começasse a entender algo. Agora entende: a guerra começa quando as pessoas, em todos os lugares do mundo, estão sentadas e falam de seus problemas e desejos do dia a dia e, de repente, alguém pronuncia a palavra "guerra" — e então elas não se calam, não olham para o chão caladas e assustadas, mas respondem de todas as maneiras, em tom natural: "guerra" — e se perguntam se é possível, quando e em que medida. É assim que começa. Kristóf agora compreende. A guerra começa num lugar distante, distante dos acontecimentos visíveis, começa na alma das pessoas, e quando se transforma em campo de batalha, com canhões e mortos, ruínas incendiadas, a alma das pessoas já se resignou. Emma comenta em tom irônico e depreciativo que os covardes já começaram a estocar em casa água mineral, salame, farinha e querosene; e outros já alugaram casa no interior, longe das cidades, de medo dos gases venenosos; tudo isso, para ela, é improvável e idiota. Kristóf meneia a cabeça como quem acha a argumentação insensata, mas entende: parece que é assim que começa: com salame e querosene na despensa e covardes assustados alugando pequenas casas no campo, longe das cidades. Um senhor na mesa vizinha, que Kristóf conhece de vista — é editor de uma revista, ouviu falar que é uma revista religiosa, e parece que já leu seu nome como autor de resenha literária —, comenta que uma pessoa de princípios cristãos não pode se preparar para a guerra de outra maneira senão com alma limpa, resignação e humildade; quem está assustado e como um rato procura salvar a pele é um traidor, é pior que um desertor a sair da trincheira portando uma bandeira branca. "Se a Europa for destruída", diz o editor em tom mais alto, chamando a atenção até das pessoas da varanda, "se a Europa for destruída ou uma parte do continente cessar de existir, tudo que construímos, tudo em que acreditamos, as cidades e as igrejas, os teatros e as moradias, importa o que será de João e Maria?, e será moral um indivíduo prolongar a vida com um pouco de comida?" Kristóf ouve essas palavras rigorosas e meneia a cabeça. As palavras lhe chegam à consciência com intensidade aguda, ele entende tudo nesse momento, está tudo claro e relacionado quando se pronunciam estas palavras, "se a Europa for destruída", e, de repente, entende algo que antes não tinha nem pé nem cabeça; agora não se trata de "se a Europa for destruída", porque sobre esse improvável acontecimento ninguém pode dizer nada de certo; simplesmente já se pode falar a esse respeito, isso já é tema de conversa ali no jardim, lá na sala, em todas as partes do mundo — nas cidades chuvosas do norte e no sul, nos belos jardins com muros de pedra, à sombra dos ciprestes, lugares aonde Kristóf sempre desejou ter ido mas agora pensa que talvez seja tarde. Alguns respondem, e Kristóf escuta com ar afável e educado. "Isso é problema de meu irmão", pensa, distraído. "A guerra é problema de meu irmão; o meu é de outra ordem, é a paz."

Olha o irmão, o jardim gracioso e bem-cuidado, os rostos indefinidos em torno da bagunça das mesas, mais longe, lá dentro, a luz das lâmpadas, o contorno dos móveis. Agora até o conhecido é novo para ele, como se nunca tivesse prestado realmente atenção na forma de uma mesa ou cadeira. "Se tudo for destruído", pensa com ironia, porque abomina esses exageros, esse pânico de fim de mundo, "e tivermos de começar tudo do começo, nas cavernas, onde nos refugiaremos dos gases venenosos, provavelmente não saberei fazer uma mesa ou os pés de uma cadeira; e se, por exemplo, os marceneiros desaparecerem, então teremos de sentar na terra nua ou nas pedras... Também não sei consertar uma campainha. Não sei fazer um tapete. Não entendo nada dessa civilização." Mas por enquanto essa civilização nos abriga e nos protege; a lâmpada está acesa, espalha uma luz artificial, o jornal da noite jaz sobre a mesa, com suas manchetes garrafais... Lá dentro os mais jovens pararam de ouvir aquela música inadequada para dançar; através de uma janela aberta se difunde uma melodia ingenuamente festiva.

10.

"Mozart", diz Hertha, e se espreguiça, arruma o cabelo."*Eine kleine Nachtmusik...*" Estão prontos para partir, despedem-se. A música espalha-se pelo jardim com frescor, no calor da noite. Aquela música é a mensagem de uma alma e a melodia, consignada à eternidade barata dos chiados daquele disco, é límpida e pura, quase inumana. É como se a alma de um pássaro se manifestasse. A música os mantém juntos para mais um instante de devaneio. O presidente do conselho já foi embora, o dono da casa circula pela varanda com o olhar míope e procura Kristóf. Hertha presta atenção na música como se alguém estivesse falando com ela. Sorri, olha para Kristóf, depois para as árvores com aquele olhar estranho e conhecido de quem finalmente ouve sons familiares, um dialeto que ela entende, com todas as tonalidades. "*Eine kleine Nachtmusik*", murmura, hesitante na escuridão. Com ímpeto, os violinos dão um aparte objetivo para as divagações das flautas e clarinetas. Tudo isso chega de longe, do nada; e mesmo assim esse algo intangível e imaterial é verdadeiro como o mundo, que percebe esses sons; uma alma se manifesta e intromete-se entre eles; o sujeito para quem foi escrita já não existe, mas a alma ainda faz galanteios e distribui olhares, faz uma reverência empoada e revela seu segredo. Emma foi na frente, está esperando no canto do corredor abobadado branco, indiferente, a música não a toca. Hertha espera os últimos acordes; depois olha em volta, sorri, como se ainda esperasse uma palavra, alguma continuação, uma explicação.

Percorrem o passeio do bastião; a noite está abafada, cor de sépia; passam próximo ao peitoril, lá embaixo o velho quarteirão já está dormindo, Kristóf procura as janelas de sua casa, duas delas estão iluminadas. "As crianças ainda estão acordadas", diz. Debruçam-se. "As crianças estão irrequietas", responde Hertha. "É verdade, amanhã começam as aulas. Mas não é só por isso, hoje nem Trude aguentou ficar com elas, nem a história sobre o caçador verde ajudou. Teddy também estava irrequieto." Kristóf acende um cigarro e, com ironia afetuosa, pergunta de que modo teria se manifestado esse caráter irrequieto de Teddy... Teddy é o cachorro, é um *airdale terrier* que já passou da juventude, treme permanentemente e, segundo a opinião sarcástica e um pouco injusta de Kristóf, "não serve para nada". A constatação sempre arranca uma reação de Hertha; sua tenacidade feminina não se conforma com essa leitura prática, não entende por que um ser deveria "servir para alguma coisa". Mas Kristóf não gosta de Teddy, considera-o mimado, chama-o de cachorro de madame; o verdadeiro cachorro para ele é o caçador, bem peludo, desgrenhado, com tórax viril, orelhas pendentes; a ideia de "cachorro" desperta em Kristóf a nostalgia do paraíso perdido, uma vida senhorial mais relaxada, com gosto de aguardente de ameixa, com terras, plantações, manhãs lamacentas, espingarda de caça e felicidade. Hertha imediatamente entende essa nostalgia, desmonta-a e mostra o que há de artificial e reacionário nesse saudosismo dos pequenos faustos, da pequena nobreza —

Hertha não gosta desse tipo de gente, e quando fala da pequena nobreza o faz com exagero caricatural, ironiza a "calça xadrez para cavalgar" —, mas ao mesmo tempo, com boa vontade e inteligência, perdoa esses sentimentalismos. Kristóf caminha sorrindo a seu lado no escuro, tolera que lhe joguem na cara a "calça xadrez para cavalgar"; é, eles se entendem... Mas essas pequenas nostalgias fazem parte da essência de Kristóf; é assim que se deve aceitá-lo, com esses lampejos e desejos que Hertha despedaça com dedos impiedosos, retira do submundo dos desejos e depois perdoa com um leve movimento de ombros. "É, Teddy também estava irrequieto", diz. "Hoje à tarde a casa estava de ponta-cabeça." "Ponta-cabeça, que exagero", diz Kristóf numa reprimenda carinhosa, com certo pedantismo; essa precisão impiedosa é a única arma contra a lábia sentimental de Hertha. Falam com meias-palavras, basta que um comece uma frase, como um maestro insinua a melodia, o outro logo entende, pega no ar e continua. "Qual foi a causa do terremoto caseiro?", pergunta Kristóf com paciência patriarcal. A causa? De repente Hertha começa um de seus monólogos. Existem muitas coisas no mundo que não possuem causa comprovada e documentada. Começou no quarto das crianças. Logo ao meio-dia, quando Kristóf saiu. Gábor não quis dormir, seus gritos acordaram Eszter, os dois acenderam a luz do quarto e quiseram brincar de "três porquinhos", mas faltava um terceiro. Trude estava passando roupa, não podia, depois do almoço Hertha tinha tomado a segunda dose de remédio, há tempos esses dias de início de outono fazem subir sua pressão, com o passar dos anos suporta com mais dificuldade e irritação a mudança das estações, parece que está envelhecendo. Kristóf protesta distraído, desleixado. Sim, estou envelhecendo, diz Hertha, não aguento nada que seja mudança, não gosto que tirem um móvel do lugar, se dependesse de mim, os ritos cotidianos seriam de uma ordem inalterável, invariável como o calendário gregoriano, não gosto que a natureza altere meu espetáculo. "Ora, espetáculo...", diz baixinho Kristóf em tom de reprovação; pois essa expressão é mais um dos exageros de Hertha. É, pode ser que "espetáculo" seja uma palavra frívola, responde Hertha; pede que Kristóf se resigne com os exageros, afinal não dá para viver sem certa frivolidade bem-intencionada, sem certa leveza e exagero — não é verdade? É possível viver de maneira mais precisa e pedante, só que não vale a pena... Mas agora não se trata disso, mas apenas do fato de que Gábor e Eszter não encontraram um terceiro para brincar de "três porquinhos". Depois desligaram a luz, sentaram no tapete no quarto escuro e choramingaram. Foi assim que Trude os encontrou. Ao mesmo tempo, no quarto de Kristóf, Teddy saiu de debaixo do divã e começou a se comportar de maneira estranha. "Daremos um pouco de bromo para ele", responde Kristóf com desprezo. Mas não consegue resolver o comportamento estranho de Teddy com sarcasmo barato. Hertha explora as possibilidades desse jogo de palavras, diz que é coisa de cachorro, isto é, de Teddy: o bicho eriçou os pelos do pescoço, com as pernas esticadas parou no meio do quarto, ganiu baixinho, o branco de seus olhos brilhava como se visse algo assustador pela frente — Kristóf reagiu mal, quase ofendido, ao ouvir esse exagero —, levantou as orelhas, seu pânico não se dissipou nem com chamados, nem com balas de açúcar, correu algumas vezes até a porta e cheirou desesperadamente, como se esperasse alguém. Foi assustador, anormal. "Talvez estivesse com dor de barriga", diz Kristóf com condescendência, com objetividade científica, "e quisesse sair." Mas é justamente isso, não queria sair, não adiantava chamá-lo para passear, voltou várias vezes para baixo do divã e lá grunhia e latia, tentou morder a mão de Trude; o bicho sentia alguma coisa. "Talvez esteja ficando velho", especula Kristóf com indelicadeza. Já estão diante da velha igreja; o relógio mal-iluminado da torre marca dez e meia. De repente Kristóf fica cansado, mais alguns passos e estarão em casa, espera-se que nesse meio-tempo Teddy tenha se acalmado e que Gábor e Eszter sintam sono demais para se dedicar a alguma brincadeira tão divertida e na moda como os "três porquinhos"; Kristóf arde de desejo de ficar sozinho no quarto, fechar a porta, sentar sob a luz da luminária de mesa, não pensar em nada, descansar, descansar profundamente, desligar tudo que seja tensão, esquecer o dia... É, esse foi um dia "daqueles". Amanhã será melhor. Pode ser que ele também esteja sentindo a mudança de tempo. Escuta distraidamente Hertha; agora a mulher já fala com superioridade sarcástica sobre o nervosismo vespertino das crianças e do cachorro; sarcástica, mas com mais ênfase e inquietação que a algazarra caseira mereceria. "Pode rir de mim", diz, e larga o braço de Kristóf. "Você sabe o quanto desprezo as superstições. Mas é como se eu sentisse algo... sei lá... todo mundo fica tagarelando sobre guerra, catástrofes, ainda bem que não prometem um cometa... Mas Gábor e Eszter ficaram transtornados por nada, até o cachorro, que nem lê jornal! Agora terminou. Já devem ter se acalmado." Caminham sob as castanheiras até o fim da rua larga e curva que leva à casa; no bar da esquina servem vinho fresco, na rua há grandes montes de lixo com a folhagem marrom-pálida. Kristóf anda devagar, Hertha fica meio passo atrás dele. É, às vezes pode acontecer de seres de grau hierárquico inferior ficarem nervosos sem motivo aparente. A nossa tarefa nesses casos é castigá-los ou tranquilizá-los. Terror "negro" é tudo de que Kristóf queria distância; mas reconhecia a possibilidade de existir certo pânico supersticioso que às vezes surge "sem nenhum motivo"; em todo caso, pede a Hertha que observe a digestão das crianças nos próximos dias. E quanto a Teddy... Kristóf faz um gesto descuidado, de reprovação, enfia a mão no bolso e procura as chaves. Hertha encosta no portão, olha para o céu brilhante e cheio de estrelas, como nas longas e limpas noites de verão. "Sentiram algo", murmura birrenta; mas já boceja. Kristóf não responde, deixa Hertha passar na frente, tranca a porta com dificuldade, lança um olhar para o céu especialmente luminoso e pensa aliviado que o dia, esse dia estranho, diferente, um pouco "indecoroso" e "neurótico", chegou ao fim; começa a noite.

11.

A luz está acesa no vestíbulo. Trude está sentada no baú de madeira que Hertha trouxe de umas férias na Baviera; vestida sumariamente, da cara assustada, com muito sono, está acomodada sobre a tampa colorida do baú de madeira. "Um cavalheiro espera o senhor juiz", diz assustada, em tom confidencial e com leve ar de culpa; com a intimidade afetada típica das domésticas, volta o rosto lavado de camponesa na direção dos que chegam. Trude "é da família", seu pai trabalha nos correios em Mürzzuschlag, toda Páscoa e Natal manda o mesmo cartão-postal, a mesma foto colorida da famosa casinha da cidade, a "Rosegger-Stube". Trude é "mais que uma empregada": come à mesa, mas se encarrega de lavar as roupas das crianças. A mãe de Hertha, a esposa do general, não gosta dela, acha-a uma "histérica", pois Trude, de tempos em tempos, antes e depois da lua cheia, tem "visões" e conta histórias para as crianças sobre o cervo azul e sobre os habitantes do fundo do mar. *"Visionen hat Sie, die Jungfrau von Orléans!"*,* diz com

---

* Ela tem visões, a Virgem de Orléans! (N. T.)

desprezo a esposa do general; mas as crianças gostam de Trude, escutam-na com grande atenção, desenvolvem suas "visões" e gostam da história sobre o cervo azul — nas histórias de Trude todos os animais são coloridos, por exemplo: o urso é, não se sabe bem por quê, "vermelho-ferrugem". O rosto da "mais que empregada" está pálido e assustado. "Um cavalheiro? Agora? Quem é?", pergunta rapidamente Kristóf. Hertha, num gesto defensivo, fecha o casaco. Um cavalheiro, um estranho, de noite, na nossa casa? Falam baixo, com uma intimidade sibilante.

Ah, diz Trude, um cavalheiro. O senhor juiz que me perdoe. Ela não entende, não entende nada. Teve de deixá-lo entrar; chegou lá pelas nove, as crianças já tinham se deitado, e ela, Trude, queria lavar o cabelo, quando tocou a campainha; ela não o deixou entrar de imediato, nem pensou nisso, disse que o senhor juiz não recebe clientes em casa, e esse cavalheiro nunca tinha aparecido por aqui. O juiz não recebe as partes em casa, pois é. "Que ideia é essa?", pergunta Kristóf, irritado; e joga o chapéu e o casaco sobre o baú de madeira da Baviera. O gesto é um pouco veemente, gratuito. Kristóf está parado no meio do vestíbulo com o olhar perplexo, mas Trude ainda está explicando, metralhando palavras, no estilo das "visões", com os olhos bem abertos, exaltada e misteriosa. É um senhor, sim, nem jovem nem velho, da idade do senhor juiz, talvez um pouquinho mais velho. Não, é muito mais velho. Mas só o seu rosto é velho. Trude diz coisas sem pé nem cabeça. Hertha vai até ela e, ainda com luvas, pega-lhe pelo braço num gesto decidido. Trude desperta e abaixa a cabeça; por um instante, olha fixamente o tapete rústico e colorido sobre o assoalho; depois, lentamente, apática, como quem perdeu as ilusões e não se importa mais com nada, responde em voz baixa às perguntas de Kristóf. Em sua voz há desilusão e indiferença. O gesto de Hertha trouxe-a de volta da "visão" para a terra. "Ah, vocês não acreditam nos sonhos" — assim acusa seu olhar ofendido. Bastaria mais um tempo com essa confiança febril, essa exaltação, e Trude teria dito outras coisas sobre o "cavalheiro"; teria dito sua cor, provavelmente azul-esverdeado, e que um canguru o aguarda lá embaixo no pátio, mas ninguém deve saber disso, pois a "vizinhança comentaria". Hertha segura Trude com firmeza, e a garota agora responde com objetividade ressentida. Sim, chegou às nove. É um senhor de respeito. Aqui está seu chapéu, sua luva. Realmente, lá estão sobre o baú de madeira da Baviera as provas do crime: o chapéu cinzento e as luvas de camurça cinza-claras. Àquela hora, naquela casa, há algo de hostil nos objetos. Num gesto gratuito, Kristóf vai até o baú, pega o chapéu e o examina; não é totalmente novo, mas é de boa qualidade, adequado a um senhor "de respeito"; desconfiado, Kristóf o põe de volta sobre o baú. Não, diz Trude, esse senhor nunca esteve aqui. E seu nome? Seu cartão? Não disse. "Burra", diz Hertha enfurecida. Falam baixo, ofegantes, próximos, sussurrando como conspiradores. Isso já é demais, pensa Kristóf. A gente volta de noite para casa e um estranho... "Violação de domicílio", raciocina profissionalmente. Por sorte, na esquina, está o guarda. "E você deixa entrar um qualquer, um estranho!" Trude dá de ombros. Acredite, senhor juiz, tive de deixá-lo entrar. "Mas por quê? O que ele fez? Forçou a entrada?", pergunta Hertha, incrédula. "Forçou?" Trude tem os olhos perdidos no nada. Não, não forçou; apenas tive de deixá-lo entrar; não conseguia explicar; chegou por volta das nove, tocou a campainha, ficou parado na porta, onde agora está o senhor juiz, segurava o chapéu e as luvas, e tinha um rosto tão envelhecido... Quis entrar de qualquer jeito. Disse que é amigo. Conhece o senhor juiz; são amigos. Então entrou. Agora está lá sentado no quarto verde, disse ela, revelando seu senso cromático espantoso. Os dois, ao ouvir tantos absurdos, trocam olhares, perplexos, um pouco pálidos, indignados.

"Agora você entra", diz Kristóf, "pelo quarto das crianças.

Eu me encarrego..." Hertha logo entende e concorda. Vão juntos até a porta do "quarto verde", que é na verdade uma modesta sala, e põem-se a escutar. Dentro da sala, onde está o estranho, nenhum barulho; o silêncio completo nesse cômodo que conhecem tão bem é assustador. Pela fresta da porta passa um pouco de luz. "Seja quem for e o que quiser, você ficará calmo, está bem?", sussurra Hertha. Kristóf aquiesce, toca o ombro de Hertha, acompanha a esposa até o quarto das crianças, endireita as costas e abaixa a maçaneta. Entra sozinho e para na porta. A visita está parada em frente à janela; com as mãos atrás das costas, olha a rua escura. Volta-se lentamente e, com calma, caminha a passos lentos em direção a Kristóf e para sob o facho da lâmpada. "Doutor Greiner", reconhece Kristóf. "Imre Greiner." O rosto é familiar, como tudo que surge dos mitos enterrados da juventude; e, ao mesmo tempo, assustadoramente estranho. "Realmente envelheceu", pensa. Olham-se por um bom tempo. Imre Greiner está curvado; os braços pendem, como que paralisados; o tronco está inclinado para a frente, a cabeça um pouco virada para o lado, e seu olhar é suplicante e impotente. O rosto familiar está cinzento e sério; sério como se uma mão tivesse cancelado todas as expressões da face, sério como o rosto das múmias. Kömives espera a primeira palavra, as desculpas, as justificativas de praxe, as boas maneiras, algo que se deve falar numa ocasião como essa; espera os lugares-comuns que ajudarão a superar os primeiros e difíceis momentos dessa invasão noturna — afinal ele é o dono da casa, e a visita é realmente "amiga", não pode mandá-la embora; mas que diga alguma coisa! Peça desculpas, explique, comece! A primeira palavra não aparece. Ficam parados, um em frente ao outro, sem nada dizer, sem nada falar. "Quem é ele?", Kristóf se pergunta assustado. "De quem é esse rosto familiar? O que aconteceu com ele? Por que se cala? Nunca pensei que alguém pudesse se calar assim." Espera a frase bem-educada de desculpas, e já se prepara para responder, será muito gentil, tanto quanto as circunstâncias permitem, mas naturalmente espera uma explicação, mesmo que faltem palavras, a amizade de juventude não autoriza uma pessoa a entrar à noite numa casa desconhecida... Mas, como o pedido de desculpas tarda e o olhar tranquilo, ardente, suplicante de Imre Greiner não se apaga, entende que essa pessoa tem "direito", de estar agora aqui à sua frente, de noite, naquela casa — tem "direito", e esse direito nunca foi registrado em nenhum código de leis, nem nas regras de boas maneiras; simplesmente tem direito de estar ali e naquela hora, e ele não pode fazer nada contra isso.

"Preciso falar com você", diz Imre Greiner; mas não estende a mão, apenas inclina-se levemente, com ar distraído. Esse gesto convencional tranquiliza Kristóf. Os reflexos condicionados das boas maneiras já funcionam, nada de terremotos ou tempestades, pensa aliviado, animado. Espera a continuação, caminha em direção à visita, embaraçado e contido, e estende a mão. O doutor Greiner recebe a mão de Kristóf com dois dedos, como se desse pouca importância ao gesto, e logo a solta, um pouco irritado, como quem sabe que isso não é tão importante, embora não possa ser de outra maneira, certas convenções ainda são válidas, até para ele, àquela hora também. Começa a falar com a expressão irritada, displicente, de quem está mortalmente entediado com a cena, as palavras introdutórias, mas sabe que não pode ser de outra maneira; nem se o navio estiver afundando ou o vulcão explodindo pode ser de outra maneira; certos gestos, certas palavras, certos sorrisos são válidos até nos últimos momentos, nada pode ser dispensado do arsenal da civilização, até quem está se afogando deve se apresentar para o salva-vidas... "Estou certo de que você se lembra de mim", diz em tom de constatação. "Sou o doutor Greiner, sentei atrás de você, na terceira carteira, durante seis anos." Essa normalidade estranha e absurda, inadequada para o momento, irrita Kristóf. Finalmente encontra o pretexto para ficar bravo — não se fala à meia-noite, numa casa estranha, sobre a "terceira carteira"! — e olha de modo arrogante e frio para a visita. "Sim", diz. "Imre Greiner. A que devo..." O médico se recompõe, de repente fica bem-educado, quase humilde. "Por favor, não assim", murmura. "É, sinto que devo dizer o que se espera nessas ocasiões. Parece que não pode ser de outra maneira." Respira fundo, bem fundo. "Desculpe", continua em voz baixa. "Você pode imaginar que eu não teria invadido sua casa numa hora dessas se não tivesse... se tivesse acontecido de outra maneira... eu quero dizer... uma outra solução..." Sofre para encontrar as palavras, para usar as fórmulas prontas. Murmura os lugares-comuns quase enojado, com humildade e asco. Como se tivesse de fazer um cumprimento conforme as convenções antes de saltar no precipício, pensa Kristóf. Agora já gostaria de ajudá-lo. Mas a engrenagem do espírito ainda funciona: rangendo, aos solavancos, e como se tivesse de vencer resistências dolorosas enquanto fala, finalmente as palavras juntam-se em frases, em construções de praxe para salvar as aparências. "Naturalmente, teria sido mais apropriado ir a seu gabinete. Estive lá por volta das sete, eu acho..." Aquele incerto "eu acho" mexe com Kristóf; como se alguém dissesse com ar absorto: "Acho que de manhã eu ainda estava vivo, acho que uma vez fui aos Estados Unidos". O que sucede com esse homem? Assim, à primeira vista, parece "normal"; e Kristóf de repente sente a superioridade do homem "normal", seus sentimentos hostis desaparecem, agora só enxerga o mais fraco, o homem caído, o conhecido que sofreu um acidente; sente que precisa ajudar, e rápido, agora, ali em sua casa, àquela hora, tem de prestar algum tipo de socorro... "Por favor, sente-se", diz rápido, prestativo. "Certamente você tem razões sérias para esta visita. Acomode-se." Aponta a poltrona. "Sim, muito sérias", responde o médico com simplicidade; mas não se senta. "Então, por volta das nove vim para cá. A moça disse que vocês voltariam logo. Quer dizer, se a sua esposa... Não posso fazer de outra maneira. Preciso falar com você. Ainda esta noite. Receio que não será tão fácil. Quero contar tudo. Foi para isso que eu vim." Kristóf coloca a mão no ombro da visita com um gesto espontâneo, paternal, de amigo, "normal"; mas logo a retira. "Naturalmente", diz com voz incerta. "Parece que você está nervoso. Estou à disposição. Quem sabe não seria melhor amanhã... Aqui, ou no gabinete... O que quer que tenha acontecido, melhor dizendo, se você se acalmasse..." Mas agora é ele que está agitado; o médico está tranquilo e natural. "Não, amanhã já será tarde", diz, apático. "Não conseguirei contar no gabinete. Deve ser esta noite... Afinal, você também está envolvido." Kömives sente que empalidece. As palavras são diretas como um toque. "Eu? Não consigo imaginar..." O médico concorda com ar condescendente. "Sim, é difícil imaginar", responde com bonomia.

"De manhã nem mesmo eu acreditava", diz depois, naquele tom de voz tranquilo com que se costuma conversar sobre os fatos, sobre a realidade. "Verdade, nem eu teria acreditado que hoje à noite estaria aqui na sua frente. Você sabia que moramos por aqui? Duas ruas para lá? Na rua Bors", diz, como se isso fosse uma boa notícia que tranquilizaria e alegraria o dono da casa. Percebe-se na sua voz a intenção de tranquilizar. "Só no caminho para cá eu soube que vocês moravam perto. Moramos por aqui há oito anos. Não é estranho?" Kristóf faz de tudo para parecer anfitrião; "Ah, sim", diz com moderada satisfação. "Mora-se um ao lado do outro e não se sabe nada", continua o médico com emoção inesperada; e solta um riso forçado. "Nos últimos dias, pensei muito em você. Sabia que você seria o juiz que me separaria de Anna." E como Kristóf continuasse calado: "Você conhece o processo? Falo de Anna, a minha esposa". O juiz concorda com a cabeça, um pouco reservado. "Os autos estão com você.

A audiência foi marcada para amanhã, ao meio-dia." Kömives abaixa a cabeça e olha os sapatos. "É", diz em tom de recusa. "Mas se você quiser falar sobre isso... Sobre qualquer assunto profissional... Talvez fosse melhor encaminhar por vias oficiais..." O médico, como se estivesse em casa, começa a andar de lá para cá. Cruza os braços atrás de si, inclina o tronco para a frente. Esse comportamento deixa Kristóf desconcertado. Finalmente observa o amigo. O corpo frágil, veste uma roupa larga que cai frouxa. Mãos finas, ossudas, vigorosas. Usa roupa azul-marinho, sapatos pretos, sua aparência é um pouco solene. Sua cabeça, essa cabeça conhecida, não mudou muito; os traços são nítidos, o rosto é magro; apenas os olhos envelheceram. Imre Greiner é baixo, talvez uma cabeça mais baixo que Kristóf. Agora para de caminhar, olha de lado para Kristóf, depois olha para o teto, e diz, inclinado, com os braços cruzados por trás: "O fato é que a audiência não poderá se realizar amanhã". Kristóf logo quer ajudar: "Por favor, se eu puder fazer algo...". Mas antes de terminar a frase, o médico o interrompe e repete sem nenhuma ênfase, em tom cansado, descolorido: "A audiência não poderá se realizar amanhã porque hoje à tarde matei a minha esposa". Olha de novo para o forro com muita atenção e com o tronco inclinado.

12.

Kömives vai até a porta do quarto das crianças e põe-se a escutar. Ouve a voz tranquila e serena de Hertha; conversa com as crianças; depois faz silêncio. O relógio sobre o armário mostra meia-noite e meia. Kristóf encaminha-se para o estúdio, abre a porta e, com um gesto leve, indica o caminho para o doutor. No estúdio é recebido pela bagunça deixada durante a tarde; sobre o divã, a manta com a qual se cobriu depois do almoço, entre a leitura do jornal e a sesta; processos abertos sobre a escrivaninha, um cinzeiro cheio de pontas de cigarro. Senta-se à escrivaninha, com uma das mãos arruma alguns objetos sobre a mesa, pega um cortador de papel semelhante a um punhal, brinca com ele, depois, inconsciente, agarra a lâmina cega com um gesto defensivo e apoia os cotovelos na mesa. Gostaria de acender um cigarro, mas não ousa. Alguns instantes atrás, ainda esperava que Imre Greiner tivesse enlouquecido, falasse coisas sem sentido, que não podia ser verdade o que dizia; ele se acalmaria depois de falar; mas agora já sabe, mesmo sem "provas", que todas as palavras ditas são verdadeiras, o homem sentado à sua frente, um pouco curvado, os cotovelos apoiados nos joelhos, o rosto enterrado entre as mãos, realmente matou sua esposa aquela tarde. "Anna Fazekas morreu", pensa Kristóf, e tenta imaginar o rosto da mulher morta; mas mesmo agora só consegue ver o rosto que na penumbra da ilha voltou-se para ele por um instante, como se quisesse perguntar ou responder algo. Não se sente particularmente abalado. Não sente nada. "Agora é preciso ter força para suportar a situação", pensa. "Devo escutá-lo. Se for verdade... Infelizmente, é verdade." O médico tira uma cigarreira prateada do bolso e, com as mãos experientes, enrola um cigarro. Kömives lhe oferece fogo. "Obrigado", diz o médico. Vem à mente de Kömives que os suspeitos geralmente fumam assim diante do juiz instrutor, com essa sede inconsciente; criminosos que passaram pela prova dos noves, que são conduzidos à frente do juiz depois de semanas de custódia cautelar, e durante o interrogatório recebem permissão para fumar um cigarro. Ele mesmo não acende; sente que não seria conveniente fumar nesse momento; comporta-se um pouco como se estivesse no tablado do juiz; agora algo deve ser resolvido, constatado... Nesse momento, é de novo quase um juiz. Apoia-se no encosto da poltrona, cruza os braços; seus dedos ainda agarram, inconscientemente, o abridor de cartas. Fica assim, nessa posição rígida, observadora, inacessível, por um longo tempo.

"Pois é, um homem", pensa agora. O médico, com a cabeça apoiada na palma da mão, o corpo curvado à sua frente, olha o desenho do tapete, e depois, com olhar cauteloso e curioso, levanta a cabeça e mira ao redor. O juiz segue seu olhar. Em frente à escrivaninha, num porta-retratos dourado, com ornamentos floreados, a figura do "Primeiro Kristóf", o avô, os encara; foi Barabás, o retratista, que desenhou essa cabeça mítica, o rosto, o olhar severo, um pouco irônico, os lábios finos e contraídos que lembram um sacerdote do final do século XVIII; a fisionomia lembra a de um abade. O médico olha por longo tempo a testa inteligente, os olhos penetrantes, compreensivos e irônicos. Livros nas paredes, os volumes encadernados em couro de porco, com abundantes letras douradas do *corpus juris*; o mostrador do velho relógio de pêndulo está parado. O médico procura conhecer o espaço onde o juiz mora. Algo acontece entre os dois, mais importante, mais decisivo, impossível de ser expressado em palavras; dois homens ocupam suas posições, medem forças, sua consciência sente o estado de ânimo do outro, algo ocorre entre eles. "Pois é, um homem", pensam ambos. Sentem o mesmo que um viajante surpreendido pelo nome de uma cidade na fachada de uma estação de trem, nome que acredita ter ouvido num passado remoto. Que vida existiria por trás disso? Existe "ordem", ou um tipo de vida tribal desenfreada, selvagem? O juiz está incomodado, pois sente que o "caso" que lhe foi apresentado a essa hora da noite não é da sua competência. Em todos os pontos existe algo irregular, contrário aos procedimentos. Ele quer emitir uma sentença nesse processo, nessa separação de duas pessoas, no dia seguinte ao meio-dia; não agora, de noite, na sua casa, onde as crianças dormem dois quartos para lá, em frente ao retrato de seu avô; e, além disso, uma das partes confessou ter matado a outra "parte". Mantém-se sentado e rígido, com as mãos entrelaçadas, a olhar o acusado; agora é totalmente a "escola Kömives". "Na verdade isso não me compete", pensa. "Se realmente a matou, a confissão levará a um processo penal que não será mais da minha alçada, mas de outro tribunal, outro juiz." No fundo, porém, sente que está impotente, que deverá conduzir até o fim esse processo criminal. "A vida, algumas vezes, é contrária aos procedimentos", pensa com mau humor, e, franzindo a testa, observa essa "vida irregular" que invade seu quarto durante a noite e provoca audiências que violam as normas e as boas maneiras. Observa Imre Greiner de cima, com olhar cauteloso; já o vê quase como um acusado. "Um homem", pensa. "E agora ele vai contar. Vai mentir, vai sofrer, vai negar, pensará dizer a verdade, mas estará mentindo. Depois, no final, será obrigado a confessar. No final, todos são obrigados a confessar, todo mundo." Agora, pela primeira vez, sente, com um leve arrepio, que existe uma "audiência principal", onde todo mundo é obrigado a dizer a "verdade"; todo mundo; até ele. Tosse baixinho, como se dissesse: "Está aberta a sessão".

    O médico levanta os olhos ao ouvir esse ruído involuntário. "Morreu por volta das quatro horas", diz em tom confidente, prestativo, sem nenhuma ênfase. Só se pode falar com essa falta de ênfase sobre os fatos inalteráveis. O juiz conhece o tom; presta atenção. "Agora jaz na minha casa, no consultório. Deitei-a no divã. Não é uma morta bonita. A maioria das pessoas fica mais bonita ao morrer. Mas em casos de intoxicação, de envenenamento... Ontem à noite ainda estava muito bonita. Nem lembro quando esteve tão bonita. Eu não a via há seis meses. Ligou lá pelas sete, queria me ver; amanhã seria a audiência; gostaria de combinar alguma coisa... Talvez, se naquele momento eu tivesse sido mais forte, se não tivesse cedido, se tivesse ido viajar de repente, ou apenas saído de casa, ou sido indelicado com ela, talvez ainda estivesse viva. Mas quando ouvi sua voz, também senti que seria melhor 'combinar' algo. Como somos fracos! Achei que a audiência seria mais suportável se a visse antes. Pensei muito, nos últimos dias, na audiência. Você está sentado lá no tablado, nós vamos até você, Anna Fazekas e Imre Greiner, e é você, justamente você, Kristóf Kömives, que vai julgar e declarar perante Deus e os homens que não temos mais nada a ver um com o outro." Esse "justamente você" não agrada ao juiz; seus dedos ficam tensos, gostaria de agarrar algo, dar um sinal, protestar. "Espere um pouco", gostaria de dizer, "ainda não chegamos lá. E nunca chegaremos lá. Nada de questões pessoais, se posso pedir. Por que 'justamente eu'?" A pergunta paira entre eles. Mas naquele momento o juiz sente que entre eles pairam diversas perguntas mudas como essa; um homem surge do abismo do passado e, de repente, não há "passado", não há "papel", não há "situação"; existe somente a realidade, um tipo de realidade maldita e palpável, uma realidade indizivelmente aguda. "Daqui a algumas horas estarei a ferros", diz o médico. "Quero dizer, daqui a algumas horas começará a funcionar esse estranho mecanismo chamado administração da justiça. Interrogatório. Um funcionário que, no melhor dos casos, sabe sobre mim apenas o que eu e os fatos revelarmos. Registra dados, pergunta, eu respondo, uma comissão faz 'uma visita', Anna jaz em casa. E depois? O que será depois? Direi tudo, mas o que podem me responder? Alguém tem de responder." Agora quase sussurra. "Horas atrás eu ainda era um médico, um médico que exercia a profissão. Nome, endereço, número na lista telefônica. Jurei ajudar as pessoas. E ajudei. Muitos vieram com queixas até mim e 'saíram curados', porque receitei remédios, internei-os, tomei providências, abri suas barrigas. Terminou para mim. Não poderei mais ajudá-los. Mas essa noite ainda é minha. Por isso vim até você. Daqui a alguns minutos ou horas não terei mais nada. Isso depende também de você. Mas posso dizer, no fundo nem importa... Ou melhor: é o fim da vida. Nem sei: realmente é o fim da vida? Talvez, de manhã, queira viver de novo, mesmo sem Anna. A vida é muito forte. Sei algo sobre isso. Nesse momento, não quero outra coisa a não ser a verdade. E você sabe como é difícil... Saber a verdade. De manhã começará algo que nada terá a ver com a minha verdade. Perguntarão, responderei. O mundo pergunta: dados pessoais, o nome de Anna, idade, religião, e depois: por quê, quando? Não entendem. Primeiro será um funcionário a perguntar, depois um juiz, depois peritos e contraperitos. Que devo fazer com eles? Que devo dizer a eles? De manhã todas as palavras terão outro significado. Não proteste. Eu sinto, sei que de manhã já não será possível dizer." E como Kristóf não respondesse: "Que horas são? Meia-noite e meia ou uma hora? Então ainda tenho um pouco de tempo. Passarei esta noite com você. Não se zangue, você também prestou juramento. Eu também fui acordado de noite, muitas vezes saí do lado de Anna e me levaram a ver pessoas que sofriam, gritavam e queriam saber a verdade, apenas a verdade, a verdade da vida e da morte. Eu tinha de ficar com eles, de noite. Agora estou assim, doente. Você terá de aguentar. Você jurou servir aos homens. Devo explicar. Imagine que você é um médico e de noite tem de ir ajudar uma pessoa que uiva de dor. Uma pessoa que precisa a todo custo de um médico. Eu, a todo custo, preciso de um juiz esta noite. Sabe... é tão difícil dizer... preciso de um juiz que trabalhe à noite. Um juiz que julga de dia é diferente. Julga como sabe, como deve. Poderia proceder de outra maneira? Mas eu preciso, hoje à noite, daquele juiz que desce do tablado e toma ele mesmo parte do processo. Se fosse de dia, seria diferente. Não apenas do alto, não apenas mediante a lei. Preciso de um juiz que seja também um pouco réu, também promotor, ao mesmo tempo defensor e juiz, um juiz verdadeiro e imparcial. Você entende? Não entende. É difícil explicar. Os enfermeiros de ambulância ficam alertas durante a noite, podem a qualquer momento sair para ajudar se algo terrível acontecer com as pessoas... Quando matei Anna, constatei com meu estetoscópio, seguindo todos os procedimentos médicos, que essa mulher morreu, essa certa Anna Fazekas, de quem eu gostava, com quem passei oito anos de minha vida, lado a lado, corpo com corpo, alma com alma — mas eternamente apenas de 'lado', entende? —, então, naturalmente, soube que algo tinha terminado para mim também; não era apenas a vida de Anna Fazekas que tinha terminado, não apenas a convivência de Imre Greiner e Anna Fazekas. Existe algo entre uma vida e outra que talvez seja mais importante que a existência corporal e se interrompe em instantes assim. Um acidente no universo, digamos, uma avaria na máquina. Mas isso são palavras. Enfim, Anna morreu, eu estava lá parado, com a seringa na mão, arregacei as mangas, limpei a pele com algodão embebido em éter, pois se permanece médico até o último instante... Veja, talvez isso seja o mais triste de tudo, essa lealdade desesperançada à profissão... Permanecemos eternamente profissionais, preparo-me para a morte e, no último instante, ainda tomei o cuidado de aplicar a injeção letal conforme os procedimentos... Preparamo-nos para morrer, mas tomamos cuidado para não nos infectar. Fiquei espantado. Percebi que ainda sou médico, até no último instante, até quando se trata apenas da minha vida. Apenas? Como somos inconsequentes com as palavras. Sinto que falo como um bêbado. Conheço essa embriaguez sem álcool, vi-a muitas vezes, observei-a... Não se zangue, você é o juiz, você saberá avaliar o que é realidade desse delírio... por isso vim aqui. É um delírio frio, pois percebo com exatidão o significado de todas as minhas palavras. Então, com a seringa na mão, de repente percebi que ainda não podia. Não pense que me assustei com a morte... Isso é outra questão. Já não tenho medo... Ou, com mais prudência, diria que já não tenho tanto medo. Talvez esteja até um pouco curioso. E algumas vezes penso que, lá no fundo, independentemente de nossas intenções, em qualquer coisa que façamos somos tomados por essa forma de curiosidade, por esse desejo, o desejo de aniquilamento... Ah, isso é muito forte. Mais forte que a luxúria. Mais forte que o amor. Esse desejo é mais forte que qualquer outra coisa. Mas eu sei, não devo falar sobre isso. Obrigado por não me advertir. Está vendo, se eu dissesse isso, você teria batido seu lápis na mesa em sinal de advertência. 'Peço que permaneça dentro do tema', você diria. Por isso digo que preciso de um juiz que tenha a coragem de julgar de noite".

"Eu sou o mesmo juiz, acordado ou dormindo", murmura Kömives com frieza.

Nada de arrogância ou emoção em sua voz. O médico olha para ele. "Ah, me desculpe", diz, quase com humildade. Essa humildade irrita Kömives e deixa-o desconfiado. "Naturalmente, não foi assim que pensei... Jamais faria isso, se não fosse nossa velha amizade..." O juiz agora é todo atenção, precisão profissional. Conhece essa voz. Essa voz astuciosa, mentirosa e falsa, essa voz respeitosa e humilde: esses são os modos de um criminoso. Todo criminoso os utiliza frente ao juiz. "Preste atenção", diz com uma entonação seca, aguda e bem articulada, como se falasse na sala de audiência. "Ainda não entendi muito bem o que o trouxe aqui. Lembro-me de você nebulosamente... nebulosamente. Já passa de meia-noite. Confesso que não é meu costume... nunca, em nenhum caso, com ninguém... Faz tempo que nos vimos. Afinal, você é meu amigo. Digamos, um amigo de infância. O que você disse antes... que a sua esposa... sua esposa... O que devo entender disso tudo? Mas agora você já está aqui, sentado. Recomponha-se. Conte, se é tão necessário. Quanto ao que você está tagarelando sobre a corte... não fique bravo, tudo isso são apenas tagarelices. Você não está com coragem de falar 'daquilo'; 'daquilo' e de qualquer coisa... Não existem dois tipos de juiz. A noite tem apenas um juiz, a consciência. Eu não faço plantão noturno. Para tanto existem repartições apropriadas na cidade. A sentença, você diz. Você necessita de uma sentença. Emitir uma sentença é algo grandioso e sagrado, meu amigo. Eu não sei julgar entre humores e confissões. A sentença é algo sublime. Nós, pessoas, juiz e acusado, somos apenas instrumentos. É uma outra pessoa que julga." E se cala. Sua voz dura ressoa no quarto frio. O médico, com a cabeça abaixada — talvez ainda com aquela irritante "humildade astuciosa" — o escuta. Kristóf, num tom de voz um pouco mais amável, diz: "Não espere nada do juiz. Nem a esta hora. Mas se quiser a ajuda de um amigo... estarei aqui. Recomponha-se, meu velho. Não importa o que tenha acontecido, continuamos seres humanos, húngaros decentes e cristãos. Acho que o conheço um pouco. Você não pode ser um criminoso. Não acredito nesse horror que você está contando... Entenda, não posso acreditar. E, se for verdade, então não poderei ajudar. Nem agora, nem amanhã, nem nunca. O juiz, como você mesmo disse, não pode ajudar. Mas posso ajudar com solidariedade e conselhos. Somos seres humanos. Mas isso não é desculpa", conclui com prudência. Ficou exausto, sua voz está cansada. Faz tempo que não fala assim para uma pessoa, assim continuadamente. O médico dirige-lhe um olhar atento. Sente ser esse olhar também falso, ardiloso. É aquele olhar traiçoeiro, criminoso... "Mas existe algo aqui", pensa com angústia desconfortável. "Existe algo aqui", diz nesse instante o médico, como um eco fantasmagórico. "Algo que você ainda não está entendendo. Você não quer ser juiz? Não pode? É proibido? Por favor." O juiz fica irritado com esse "por favor" leviano. Faz um movimento, com a intenção de levantar e apontar a porta para a visita noturna. Ninguém tem o direito, pensa revoltado, ninguém tem o direito de falar assim comigo. Tenha ou não assassinado, não tem o direito de tentar farejar minha opinião. Mas o médico é teimoso e, aproximando-se, como quem não aceita recusas, continua em tom de quem tem pressa: "Então responda você. Como se fosse uma testemunha sentada aqui, agora. Você perguntou, por que justo você? Eu vou responder". Mas não responde. Com um gesto inconsciente, leva a mão à boca, toca com o dedo o lábio inferior; o gesto é infantil, tolo. "Preste atenção, Kristóf", diz agora com simplicidade, franqueza, quase com carinho. "Neste momento eu ainda sou senhor de meus atos. Por exemplo, posso me matar. Ou posso tomar um trem e fugir. Ou me entregar no posto policial mais próximo. Nesse instante sou eu quem decide sobre a vida e a morte. Agora você entende como esta noite é importante, valiosa para mim? Cada minuto. Confesso que o passaporte está aqui na minha mão, passaporte e dinheiro. Quando saí de lá... de casa... pus no bolso tudo que poderia precisar. Passaporte, dinheiro e, é claro, isso." Tira do bolso e coloca na borda da escrivaninha alguns objetos: uma carteira de couro gasto, um passaporte de capa marrom, um tubo de remédio cheio de líquido incolor e uma pequena seringa. O juiz observa os objetos do alto, como um pássaro, sem nenhum movimento de cabeça. "Você não acha", diz com piedade, "que tudo isso é um pouco infantil?" A mão do médico para no ar. "Infantil? Você quer dizer que a vontade já morreu dentro de mim, que sou um covarde, que estou recuando? Quem quer morrer não mostra seus instrumentos? Mas eu não quero morrer. Se possível, quero viver... Se houver um jeito, uma única maneira..." O juiz agora olha bem de cima para os objetos e para o estranho. "Existe algo pior que a morte", diz sem ênfase, com objetividade. "Guarde esses... instrumentos." Pela primeira vez, olham-se com rancor; o médico inclina-se na direção do juiz, olhos nos olhos, com aquela curiosidade, aquela determinação de quem tem uma arma na mão. O juiz sente o sangue lhe subir à cabeça.

"Instrumentos", diz o médico. "Você é difícil." E continua, como se falasse sozinho. "Ao menos reconheça que estou sendo sincero. De que vale para você essa sinceridade? Talvez seja apenas uma face da covardia. É, era assim que eu o imaginava", diz sem meias-palavras; e o juiz sente, espantado, que as palavras não o ofendem. Como se seu corpo e alma estivessem curiosamente entorpecidos; podia-se espetá-lo com agulhas, um estranho podia ofendê-lo e julgá-lo à noite em sua casa, ele não sentia nada. Agora já sabia que escutaria esse homem. Talvez um criminoso. Talvez um louco. Talvez um cabotino. Já não sente nenhuma compaixão em relação à visita, nem desprezo; talvez curiosidade.

"Nada disso me compete. É um acidente. Logo terminaremos", pensa. Antes tinha vontade de, com um único gesto, "varrer" os instrumentos, jogar os objetos suspeitos no colo do estranho, mostrar a porta intimando-o a se retirar com seu segredo, seu crime ou sua inocência; o que ele tem a ver com isso? Percebe espantado que o suporta. Percebe espantado que tem algo a ver com essa pessoa. Ela parece mais que um colega de escola. Mais que um estranho a quem aconteceu algo — talvez algo irreparável, talvez apenas um mal-entendido —, mas já não é a culpa ou a inocência que lhe interessa, tampouco aquela clemência condescendente com a qual se aproximou do acidente, desse ser ferido que caiu em seu caminho. Agora é o homem que lhe interessa, pessoalmente. O fato de estar ali sentado no quarto. Tem algo a ver com ele, pessoalmente. "Para mim, é absolutamente impossível morrer assim, como também o é continuar vivendo dessa maneira", diz o médico. "Assim não dá nem para morrer. A confissão não é tudo. É preciso uma resposta para a confissão e, por mais que você não goste da palavra: é preciso uma sentença. Sem ela, não dá para morrer; mas também não dá para viver. De manhã eu ainda não sabia disso. Simplesmente, eu preciso saber: sou inocente? Inocente, que palavra grandiosa, pense bem. Sim, grandiosa. Quem é inocente? A religião ensina que o homem nasce no pecado. Mas eu compreendi tudo!", diz agora, um pouco mais alto, num grito de espanto e pavor. "Tudo que um homem pode entender. Fui quase bom algumas vezes. Se soubesse da existência de um homem, em algum lugar, que pudesse ajudá-la, teria ido buscá-lo. Eu mesmo cheguei a lhe apresentar homens... Eu achava... não, você não pode entender. Se soubesse de suas tendências doentias, tentaria curá-la e, se depois visse que sou incapaz, que sou apenas um médico... o que é um médico? Precisava ser algo mais... sei que isso soa como blasfêmia... mas, se uma pessoa se propõe a viver entre outras e quer ajudá-las, deveria ter aprendido um pouco do ofício de Deus... E afinal, de que vale tudo isso? Fazer uma lavagem? Abrir a barriga? O diabético, ao receber insulina, continua a viver. Com bisturi e radioterapia consigo diminuir a progressão de um câncer. Se tiver cuidado, prestando atenção durante semanas e meses, posso curar uma anemia fatal. Se estou presente no instante decisivo, posso reanimar um coração doente. Já sabemos muita coisa. Morrem menos crianças, os adultos vivem mais. Mas o que ocorre com as pessoas, o que existe por trás das vidas prolongadas artificialmente, por que não aguentam, por que querem mudar, por que não se resignam? A morte deve ser maravilhosa... A matéria se exaure, e a alma concorda. Mas eu nunca vi morte assim. Uma vez, quem sabe... Era meu professor... Esperou o último minuto... A maioria das mortes é uma explosão, um crime. A natureza não mata antes do tempo. Nós é que matamos a nós mesmos." Para em frente ao retrato do "Primeiro Kristóf", observa-o por longo tempo. "Esse é ainda um rosto diferente", murmura. "O seu rosto, o mesmo nariz, a mesma testa, os mesmos olhos... mas o conflito é diferente. Mais fácil de resolver." Sacode a cabeça. "Nunca teria acreditado que essa questão retórica... a questão da inocência... poderia ser tão concreta. Que é impossível deixá-la sem resposta. Nem mesmo morrer é possível sem uma resposta. É necessário antes resolver isso." Está em frente à escrivaninha, olha para Kristóf. "Você tem de permitir que eu conte. Talvez você já suspeite que, neste instante, se trata de nós dois, e não da fuga de um homem assustado. Tem a ver com você também. Diga, Kristóf", pergunta inesperadamente, num tom confidencial, "nos últimos oito anos você nunca sonhou com Anna?"

Agora é o juiz que não responde. Encara a visita com os olhos bem abertos, o olhar triste, atônito, surpreso.

13.

"Você não conhecia Anna", diz o médico, com leve ar de superioridade. Vai até a estante de livros, para com os braços cruzados e encosta a cabeça, voltando-a levemente para trás, nos grossos volumes da *Enciclopédia Britânica*. "Você falou apenas quatro vezes com ela." Conta nos dedos: "Uma vez no baile dos estudantes de direito, quando foi apresentado a ela. Foi quando você dançou com Anna a primeira e última vez na vida. Você dançou com ela uma quadrilha, aquela segunda quadrilha. No Hotel Hungária. Você se lembra?". Kristóf, em dúvida, concorda com um prudente movimento de cabeça. "Depois de dançar, você a acompanhou até o bar do hotel, onde conversaram sentados no balcão. Talvez por meia hora. Tinha outra pessoa lá, um daqueles que vão a todas as festas, um advogado que cortejava Anna desde que ela era criança. A segunda vez foi na rua Szív. Seis meses depois do baile, no final de abril, de manhã. Anna voltava da aula de inglês, você do gabinete; você a reconheceu e foi com ela até sua casa. Disse que telefonaria. Mas não telefonou. A terceira vez foi na ilha. Você jogou tênis com ela em duplas. Depois voltaram juntos para casa, a pé, cruzando a ilha até a entrada da ponte de Buda. Irén, a amiga dela, estava com vocês. Irén Szávozdy, que mais tarde fugiu de casa e se casou com aquele tenor... Você lembra? Esqueci o nome do tenor... O pai da amiga também acompanhava vocês, Pál Szávozdy, o deputado. Na manhã seguinte você viajou para a Áustria. Depois não viu mais Anna. Viu sim, mais uma vez, três anos depois; ela já era minha esposa. Você também já estava casado. Fomos à ópera, estávamos no corredor e, de repente, você saiu de um camarote, seguido por sua esposa. A música ainda soava lá dentro. Você lembra?" Kristóf olha para a penumbra. Permanece calado. "É inacreditável", murmura depois, com voz rouca. "É, sem dúvida... verdade que encontros sociais assim... desaparecem da memória. Mas agora que você diz, eu me lembro. Tocavam *Don Giovanni*. Eu me lembro."

"E o outro encontro na rua Szív? E mais tarde na ilha?" Kristóf, como quem é interrogado, responde com obstinação apática: "Na ilha, sim... Sem dúvida. Você disse Szávozdy? Irén Szávozdy? É, pode ser... mas na rua Szív? De manhã?". Para e se cala embaraçado. Agora não olha para o médico. Sim, também se lembra desse encontro. Foi um encontro como qualquer outro. Uma conversa tímida, social. Talvez um pouco mais desembaraçada... E agora, de repente, recorda. O sol brilhava. Era final de abril, o dia estava especialmente quente e brilhante. Caminhavam pelo bulevar. Conversavam em inglês, a garota acabava de sair da aula, nenhum dos dois falava bem o idioma, divertiam-se gaguejando a língua estrangeira, Kristóf fez-lhe galanteios desajeitados em inglês. Naquele momento, tinha algo a fazer no tribunal, já estava atrasado... Anna lera Shakespeare com a professora de manhã, mostrou o livro, *Romeu e Julieta*... Kristóf olhou o relógio, já estava atrasado, mas acompanhou Anna mesmo assim e citou Romeu num tom comicamente desesperado: "... *Let me* *be ta´en, let me be put to death; I am content, so thou wilt have it so...".** E Anna, no mesmo tom, com a felicidade de uma boa aluna que sabe responder: *"O, now be gone; more light and light it grows!...".*** Realmente, era uma manhã clara e luminosa. Mais intensa e brilhante que a primavera. Pararam no portão, deram-se as mãos. Agora era o momento de dizer algo adequado, sem grandes intenções, sem grandes significados, qualquer coisa que brilhasse com luz própria, como a gota d'água de uma cachoeira sob os raios do sol... que, uma vez precipitada, desaparece para sempre. Sim, ele telefonaria. Olhou de novo para a garota que ia embora, contemplou o momento. Mas já era mais do que tempo de ir até o Tribunal. *"O, now be gone"*, murmurou o médico, *"more light and light it grows..."* Kristóf apoia os cotovelos na mesa. "É isso mesmo", responde. "Como você sabe?" O médico dá de ombros: "Ela contou", diz sem ênfase. "Quando?" Ele pensa um pouco. "Ontem à noite. Algumas horas antes... daquilo acontecer. Ontem falamos muito de você."

"Você não conhecia Anna", repete. "Por muito tempo eu também não a conheci. Se é possível conhecer alguém! Então você viajou para a Áustria, logo no dia seguinte, algumas horas depois do encontro na ilha. Você sabia que o pai de Irén, o velho Szávozdy, cortejava Anna o tempo inteiro? Era velho, meu Deus... Naquela época eu o considerava um ancião. Eu tinha vinte e nove anos. Anna vinte e dois, Szávozdy quarenta e três. Era um sujeito divertido, do mundo. Anna riu dele. Daqui a quatro, espere, cinco anos, nós também teremos a idade do velho Szávozdy. Eu sei que você é um pouquinho mais jovem. O deputado tinha uma voz de barítono, parecida com um violoncelo, que fascina-

---

* Melhor que me peguem, que me matem; O que me importa, se Julieta quer! (N. T.)

** Apresse-se, lá está a luz, a luz se acende! (N. T.)

va as garotas. Sabe, aquela voz de ator de cinema, de homem maduro e apaixonado... Quis se divorciar. No final, nada aconteceu. Não por minha causa. Mas eu já estava próximo de Anna, como o ar, a sombra, a noite. Eu era um jovem médico. Quase sem trabalho. Com uma pequena herança, o suficiente para adquirir os instrumentos essenciais e frequentar a sociedade por alguns anos. Nada mais. Pleiteava uma bolsa de um semestre numa universidade holandesa, escrevi um artigo sobre pesquisas em fisiologia para uma revista estrangeira, o deputado me incentivou, disse que conseguiria uma bolsa de estudos. Não fui. Já não podia ir. Anna também era pobre, mas de um modo diferente... Era uma pobreza com renda fixa. A minha não: a minha e a do lugar de onde venho era uma pobreza esfarrapada, dos mortos de fome... Meu avô ainda era um assoprador de vidro. Minha mãe, camponesa, filha de um trabalhador braçal. Meu pai também era operário, trabalhava na fábrica de Rózsahegy; mais tarde tentou a vida na América, escreveu algumas vezes, mandou dinheiro e depois nunca mais deu notícia. Nunca soubemos se estava vivo ou morto. Durante algum tempo, tentei investigar, mas ele havia sumido. Nem me lembro mais dele. No tempo da faculdade, as despesas foram assumidas pelo irmão mais velho de minha mãe, um camponês rico e avarento da região de Bártfa. A herança também veio dele. Mas até esse dia chegar... Você se lembra de mim, na terceira carteira? Eu morava na casa de um velho curtidor, dormia na cozinha ao lado dos aprendizes. Não digo isso para comovê-lo. Tenho boas recordações daqueles tempos. O tio de Bártfa decidiu fazer-me estudar, queria que eu me tornasse alguém. Tinha intenção de fazer de mim um padre. Minha mãe continuava a servir enquanto eu recebia aquela educação digna de um senhor, o tio não se importava com ela, detestava-a. Perseguia minha mãe com um ódio irracional, ancestral, obscuro. De vez em quando, minha família é agitada por esses ódios anônimos, infernais. Acho que bancava minha educação porque achava que, uma vez senhor, eu ficaria cada vez mais afastado de minha mãe. Mandava dinheiro, mas sempre apenas o suficiente para eu não morrer de fome, calculado até o último centavo. Tinha medo de dar dinheiro, tinha medo que eu o enganasse e enviasse um pouco para minha mãe. Ela trabalhou a vida inteira na aldeia, nas proximidades do tio. Era uma mulher loira, triste e assustada. Toda vez que voltava para casa, no Natal ou nas férias de verão, eu tinha de ficar na casa do tio bem de vida; para festejar minha chegada, ele mandava cozinhar uma galinha e matar um porco, mas tomava todo o cuidado para eu não roubar nenhum pedaço para minha mãe. Uma vez me surpreendeu caminhando no jardim com uns restos de macarrão com ricota no bolso; minha mãe estava lá fora, nas máquinas, já era uma velha, trabalhava como diarista, morava na casa de estranhos, levava vida de criada; o velho suspeitou que eu estivesse levando o macarrão para minha mãe e me ameaçou com um machado; foi detido pelo cocheiro. Hoje sei que meu benfeitor era um desequilibrado mental. Eu podia encontrar minha mãe apenas fora da aldeia, no crepúsculo, como os namorados clandestinos. Ela, coitada, tinha medo, tinha medo do meu tio, tinha medo que eu ficasse na miséria, e tanto medo fez com que ficasse meio simplória, e quando a luz da razão se acendia em sua mente, pensava em mim. A seus olhos, o tio podia torturá-la e tirar-me dela. Achava tudo isso natural, que eu não morasse com ela, que andasse bem-vestido, que comesse carne duas vezes por dia e ela talvez nenhuma na semana. Eu não pensava nisso. Nem entendia. Somente depois é que conseguimos compreender esses desesperos insensatos. Eu tinha de voltar para casa nas férias porque o tio queria assim; desfilava comigo, levava-me até o senhorio, ao padre, ouvia meu discurso em latim com um sorriso débil e feliz, era assim que me apresentava a seu mundo, como um curioso animal domesticado, resultado de uma criação de sucesso. Acho que gostaria mesmo é de ter colocado uma argola em meu nariz, como fazem os ciganos das feiras com o filhote de urso. Não formou família, vivia em concubinato com uma criada, uma jovem eslovaca, mas naquela época já devia ser um velho impotente, sem descendentes, pois não tiveram filhos. Apenas agora, vinte anos depois, descobri o estrago que ele me fez, a destruição causada por essas visitas de férias, quanta vergonha, impotência, raiva, ciúme, humilhação, desespero se sedimentaram dentro de mim, e aqui a racionalização não ajuda, nem o sucesso, nem o dinheiro, nem o fato de que devo Anna ao tio... O tecido da minha alma está chamuscado, impossível de ser remendado. Não posso culpar a sociedade por isso. É verdade, virei um senhor, um médico, tenho dinheiro, uso roupas finas... Mas sempre, eternamente, tenho de olhar em volta quando entro numa bela casa como esta, não tenho coragem de encarar os criados, tenho medo de me lembrar do rosto de minha mãe, receio ser servido por um criado... É, eu sei que é doentio. Até que disfarço bem. Anna, por muito tempo, não percebeu. Na casa deles o dinheiro também era curto, mas não passavam necessidade. Anna sabia ser servida sem problemas de consciência, mas eu sempre estava envergonhado por alguma coisa, enrubescia ao pedir um copo d'água, virava de lado quando a criada, de manhã, trazia meus sapatos... Anna não entendia essa vergonha. Ela nasceu com essa autoconfiança, acreditava que havia pessoas cuja vocação é servir e outras cujo negócio é serem servidas e que isso está certo. Certo... é possível... o que se pode fazer? Talvez as coisas devam ser assim. A gente se cansa, fica resignado. Ouvi dizer que existem criadas até na União Soviética... Naquele tempo eu ainda não tinha lido Tolstói, nada sabia de sua maneira de viver em Jasnaja Poljana, mas num certo momento — aconteceu no terceiro ano de nosso casamento — rebelei-me; foi quando morreu minha mãe. Fui ao enterro, foi um enterro de criada, eu mesmo não queria de outra maneira... Não quis enganar a mim e ao mundo com essa morte, que ela fosse para o túmulo da maneira como teve de viver, pobre; que fosse enterrada num caixão simples feito com quatro tábuas... Mas quando voltei para casa não aguentei. Durante um tempo, exigi que a empregada comesse conosco; todo mundo sofreu com essa minha decisão, inclusive a criada — uma fugiu, não aguentou. Anna também sofreu, e eu também. Talvez Anna tenha sido a que sofreu menos. Procurava 'entender'... Depois eu levantava quando a criada entrava no quarto... Agora sei o que eu queria, mas naquela época obedecia inconscientemente a essa obsessão, escondia alguma coisa com teimosia e desespero. Anna também aceitou. Então percebi que fazia algo ridículo e sem esperanças... Dois mundos convivem um ao lado do outro, mas e eu com isso? O que posso fazer? Resignei-me. Sei que não sou o único a experimentar algo assim. Anna nunca sentiu culpa em relação às suas criadas. Ela dizia ser 'boa para elas', olhava nos meus olhos e repetia com ar sereno que 'elas têm tudo que precisam...'. Está certo. Elas tinham tudo. Mas eu pensava sempre em minha mãe. Ela também tinha 'tudo'? Mas isso se configurou apenas mais tarde, com três anos de casamento."

"Somos todos pobres", diz o juiz com objetividade.

O médico olha para ele. "É verdade", responde com voz cansada. "Mas isso é diferente... é um outro tipo de pobreza. Aqui se trata de uma sensação de necessidade, de direito e dever, a posse já não conta muito... Quando conheci Anna, assumi o papel de homem do mundo, como um impostor. A herança do tio desequilibrado cobria as despesas. O tio desequilibrado morreu no final da guerra, minha mãe ainda vivia. Fui vê-la e pedi que voltasse comigo, que vivêssemos juntos. Mas ela não quis vir. Depois quis comprar uma casa para ela na aldeia, mobiliada...

mas não aceitou. Comportava-se de modo hostil, rude. Queria que a deixasse viver como criada. Não aceitou um único centavo. Durante muito tempo, não entendi esse comportamento. No começo acreditei que queria me poupar, que tivesse medo de aceitar parte do dinheiro necessário para minha carreira de senhor... Mas não era isso. Depois pensei que detestava o dinheiro do tio. Também não era isso. Ela pegou todas as roupas do tio, os trapos velhos, as assadeiras furadas, com aquela ganância ávida típica dos muito pobres em relação aos bens materiais, querem qualquer trapo, qualquer ferro velho... Apenas não queria deixar a aldeia, não queria a casa, a vida sem preocupações, não queria mudar de vida. Queria servir. Apegava-se a esse destino bestial, no qual viveu toda a sua vida. Por quê? Por birra? Por desespero? Por uma típica desconfiança camponesa? Talvez não confiasse mais em nada, não acreditasse que a vida pudesse ser diferente daquela que conheceu de maneira profunda e inapelável... Não sabia, não entendia. Bem mais tarde, quando era médico apenas no título e no endereço, mas na alma já tinha renunciado à profissão, quando apenas olhava e escutava os doentes, dando-lhes tudo que esperavam de mim, abrandando suas angústias, sedando seus sofrimentos, mas sabendo não poder me aproximar da causa de suas doenças... aquela inacessibilidade em que uma alma se tranca é uma espécie de santuário... em que fica a sós com seu destino, uma câmara escura do presente na qual um estranho não poderá jamais penetrar... quando soube disso, compreendi a relutância de minha mãe. Mas ela já tinha morrido. As pessoas se apegam às regras porque querem algo para dirigir seu destino. Minha mãe não tinha coragem de sair daquele beco escuro onde fora jogada pela vida. Tudo era suspeito para ela, a experiência lhe ensinou que apenas o sofrimento, a renúncia e a pobreza são dignos de confiança... E acreditava em tudo, como outros acreditam que são condes ou barões. Tive de deixá-la a sós com o destino.

Cedo ou tarde todos têm de ser deixados lá, sozinhos com o destino. Mas naquela época eu ainda não sabia... Como você deve estar estranhando tudo isso! Talvez você ainda não saiba... não possa saber que não é possível ajudar alguém. Nada é mais difícil que ajudar alguém. Você apenas vê uma pessoa querida caminhar rumo ao fim, contra os próprios interesses, sem juízo ou apenas triste, sofrendo, desmoronando, mal aguentando, se destruindo... E você corre até lá, gostaria de ajudar, mas de repente descobre que não é possível. Você é fraco demais? Não é suficientemente bom? Suficientemente sincero? Suficientemente altruísta, solícito ou humilde? É, nunca somos suficientemente aqueles... Mas se você fosse profeta, e falasse na língua dos profetas, e suas mãos irradiassem uma força magnética, também não seria suficiente... Não dá para ajudar ninguém, porque o 'interesse' das pessoas é diferente do que é bom e sensato. Talvez elas precisem do sofrimento. Talvez precisem daquilo que, conforme todos os sinais, é contra os seus 'interesses'. Não existe segredo mais complexo que o 'interesse' de uma pessoa... É possível remediar os sintomas, posso receitar remédios contra dor de cabeça, mas não consigo me aproximar das causas das dores de cabeça. Foi assim com a minha mãe. Foi assim com Anna." De novo, começa a caminhar pelo quarto.

14.

"Eu tentava me passar por um grande homem do mundo", diz sorrindo. "Namorei Anna como mandam as regras. Mandava fazer as roupas num bom alfaiate. Imagine, comecei a frequentar uma escola de dança, aprendi a dançar... Durante um tempo vivi de festa em festa. Se Anna me quisesse num partido político, fazendo discursos, eu o teria feito. Mas ela não queria nada. Apenas me tolerava. Achei que a impressionaria mais se tivesse os modos, os atos e a aparência dos outros jovens de sociedade, só faltou usar um chapéu de camurça verde. Durante um bom tempo, não soube o que ela pensava de mim. Será que me considerava um igual ou um estranho inoportuno? Anna sempre foi estranhamente tranquila. Como se sonhasse. Fosse num baile, no teatro, numa reunião social, era sempre gentil, educada e modesta com todos, indiferentemente. Sempre sorria. E quando alguém lhe dizia algo, sorria com particular vivacidade, fechando um pouco os olhos, olhando para a pessoa com um sorriso mecânico e impessoal, como se mirasse o nada. Teve muitos namorados. Era pobre, mas nada sabia sobre dinheiro. Seu pai lhe dava tudo, ela se vestia com roupas feitas por costureiras do centro de Peste, morava num apartamento de quatro quartos — naturalmente, Anna tinha um quarto só para ela, com móveis modernos, os mais requintados. Seu pai gastava tanto dinheiro com essa filha única, e de maneira tão irracional e irresponsável, que parecia um velho a bajular a jovem amante. Por causa dela, assumiu dívidas. Quando faleceu, aos sessenta e cinco anos, soubemos que esse respeitável pai de família, esse burguês parcimonioso, marido exemplar, excelente funcionário público, que trabalhou durante quarenta anos, que nunca teve vícios, que não fumava charutos cubanos, que usou o mesmo terno durante dez anos, soubemos que esse velho e rigoroso inspetor de ensino legou-nos uma dívida de vinte mil pengös. Fui eu quem pagou essa dívida; mais precisamente, ainda estou pagando. A maior parte são promissórias de origem duvidosa, emitidas por bancos de honestidade igualmente questionável... Gastou com Anna todo esse dinheiro, assim como seu salário e todas as economias. Anna foi educada no mais elegante colégio de freiras de Peste. No Natal, ganhava sempre um fio de pérolas. Um ano antes do casamento, renovaram a mobília de seu quarto. Anna usava finos casacos de pele e, no verão, foi a uma estação termal na Suíça com uma amiga. Nunca soube por que isso acontecia, se o velho obedecia aos caprichos de Anna ou se ele mesmo queria assim. A verdade é que o pai esbanjou com a filha adulta toda a sua paixão secreta, toda a sua ternura acumulada. Quando conheci Anna, ela não sabia nada sobre a vida, não sabia nada sobre dinheiro. Na casa dela, enquanto controlavam os centavos gastos pela cozinheira, o velho pagava sem reclamar, com felicidade e solicitude infantil, a conta de setenta pengös dos chapéus da moda usados por Anna. Ela não fazia outra coisa além de sorrir. Dava para sentir um êxtase gelado nesse sorriso, nesse comportamento, nesse jeito de falar. Como se estivesse sempre pensando em outra coisa, sempre olhando para outro lugar. Nunca a ouvi rir de verdade, mas estava sempre sorrindo. E foi com esse sorriso que me acolheu."

Abana a cabeça, olha a escuridão, sorri. "Ontem à noite, falei sobre minha mãe pela primeira vez", diz com voz de quem perdoa, sem rancor. "Nunca perguntou sobre ela. Talvez no começo, mas então eu gaguejei, acho. Logo se desviou da pergunta, quase pedindo desculpas. Anna tinha um tato curioso, sentia a parte da alma que não pode ser tocada nem com a respiração, pois ficaria embaçada no mesmo instante. Minha família, minha infância, minha mãe, minha chamada situação social não lhe interessavam. Talvez não fosse bem assim, talvez esteja sendo grosseiro e injusto ao dizer que não lhe interessavam... De forma pudica, apenas se desviava dessas questões. Dizia que todas as pessoas têm segredos e que esses segredos devem permanecer com elas. Além disso, sabia aceitar ou cuidar de pessoas com estranha imparcialidade. De certa maneira, as pessoas renasciam nas mãos de Anna. Como se não tivessem passado. Como se, no momento em que a encontravam, aquele monte de lembranças nebulosas, turvas e dolorosas do passado, da juventude, de repente não significasse mais nada. Não era o passado das pessoas que lhe interessava; era outra coisa. Durante um tempo, acreditei que esse comportamento fosse uma forma de covardia. 'Ela vê a vida de forma confortável demais', pensei. Fechar os olhos, não querer saber de nada, pegar de uma pessoa apenas o que desejava, ou o que lhe interessava no momento. Na realidade, é claro, tudo isso era muito mais simples; mais simples e muito mais complicado. Pena você não ter conhecido Anna", diz em tom coloquial, quase frívolo, lamentando. O juiz ouve atento, imóvel. "Mas além de tudo, havia nela uma leveza... como se estivesse flutuando, sua alma se dissolvendo... como na música. Tenho de tomar cuidado, pois posso me perder. Tenho de mostrar a alma de Anna. Não será fácil. Por oito anos... por oito anos eu nada soube. Convivência, palavras, palavras automáticas, calculadas, beijos, abraços, sonhos, o que é tudo isso? Pouco, muito pouco. É preciso saber algo mais. No começo, eu era feliz por ela me tolerar em sua presença. Eu estava apaixonado. Anna também... sim, Anna também. Devo dizer, caso você não saiba: Anna me amava. Desde ontem à noite, sei com certeza que ela também me amava. Eu a conheci na primavera, no começo de abril... toda paixão é um renascimento, mas a minha aconteceu de maneira banal. Depois de uma semana, já era outra pessoa. Comecei a ganhar dinheiro. Tudo que era obscuro em minha vida desapareceu. Passei a gostar das coisas. Ousava ser feliz. Aquela penumbra que obscureceu minha infância se dissolveu. Tudo se tornou leve, o trabalho, o contato com as pessoas, apenas ria dos obstáculos artificiais a serem superados. Os outros percebem quando estamos nesse estado. De repente, as pessoas se voltaram para mim. Fazia talvez três meses que eu conhecera Anna quando um dia percebi que tinha muito trabalho, que as pessoas me procuravam, Deus sabe onde souberam meu endereço, estavam na sala de espera do consultório, acordavam-me durante a noite chamando-me para um bairro estranho e distante, de repente comecei a enxergar tudo mais claro, não é grande coisa, apenas um procedimento de contagem de células que facilita o diagnóstico, não fui eu que inventei, mas até então a operação era complicada, cara, tinha de ser feita em lugares especializados... Eu contribuí com o direcionamento do processo, de algum modo simplifiquei e popularizei o procedimento. Não foi uma descoberta que revolucionou o mundo. Nem mesmo era totalmente original. Mas, de repente, tenho sucesso, meu nome é lembrado, sou recebido na sociedade, fico responsável por um departamento do laboratório do hospital municipal. Essas coisas sempre acontecem assim, de maneira imprevisível... Mas Anna está atrás de tudo isso, seu sorriso, sua respiração, sei que à noite a verei, ou que poderei buscá-la à tarde e, de repente, sou hábil, hábil até demais, leve e ligeiro, porque isso também é necessário para o sucesso... Não basta ser aplicado e sério... Sou um homem do mundo, calculista, sei falar a língua de qualquer pessoa, seduzo meus superiores com espetáculos de mágica, tenho bom relacionamento com meus subordinados, procuro transformar em cúmplices todos que são necessários para atingir minhas metas. Metas? A minha meta é uma só: Anna. Estou no quarto e a espero; não está em casa; de repente, sinto que está chegando, que já está aqui, sobe rápido as escadas, sinto seus passos, de repente sei, sei que roupa ela está usando, sei tudo sobre ela... A campainha toca. De fato, é ela. E com aquela roupa. Percepção extrassensorial, você diria. É, extrassensorial... Como nos animais. Não tenho medo dessa palavra. Todos os instintos sufocados, reprimidos dentro de mim, renascem, florescem. Quer dinheiro? Vou até a cidade, aqui está, trago o dinheiro, como um cão de caça com a presa. Título, posição social? Em três anos serei livre-docente. Anna quer um novo casaco de pele? Fico à espreita, como um caçador da Lapônia, e caço com minhas armas complicadas o nobre animal cuja pele será usada por Anna. Quer novas pérolas? Eu armo uma operação mais arriscada que a dos pescadores de pérola do Ceilão. Entenda, não existe o impossível, não existe o perigo, não existe a reflexão. Tudo é possível, e nem é complicado. Não tenho que me dispersar, tenho tempo para tudo, estou sempre disposto, saudável, o dia tem vinte e quatro horas, todo dia é uma pequena eternidade, dá para fazer tudo em vinte e quatro horas, consigo estudar, dirijo o laboratório, às seis da manhã visito um doente particular, às oito e meia cavalgo com Anna, de manhã corro atrás das consultas, ao meio-dia Anna me espera num tapeceiro, escolhemos o tecido para forrar uma parede de nosso quarto, à tarde procuro curar por hipnose uma ricaça histérica, não tenho nenhuma esperança de curá-la, mas faço isso com uma fé, com uma vontade, que nesses meses a doente realmente se sente melhor, larga a morfina, e só pulará da janela em alguns anos. Recebo meus doentes à tarde, preparo minhas palestras, tenho tempo de ligar para a livraria e pedir que enviem livros novos para Anna, livros que podem, eu acho, revelar algo sobre ela mesma, algo que apenas suspeito vagamente e não tenho coragem de dizer... Os refletores do sucesso me iluminam; às vezes ouço os aplausos, tenho vontade de fazer reverências em agradecimento a essa atenção cortês. De dia e de noite, acordado ou dormindo, com essa certeza, nesse estado de alerta irracional e inexplicável, com o corpo, a alma, os nervos e os músculos numa prontidão cega, como o acrobata que faz seu salto mortal entre dois trapézios, eu também, de olhos cerrados, faço meu salto e ouço as palmas lá embaixo... Anna estará vendo? Ou apenas aceita? Mas é ela que oferece tudo isso. Algo se irradia dela e move esse mecanismo desajeitado que me faz ter sagacidade, tenacidade, talento. O que seria de mim sem ela, sem sua vontade? Imre Greiner, filho de uma empregada eslovaca e um operário saxão, um homem cheio de medos, de capacidade não mais do que mediana e bastante nebulosa, perseguido até em sonhos por um ser disforme que se materializa das lembranças da infância, como uma nuvem de tempestade em forma de monstro no horizonte. Mas agora não tenho mais medo. Estou com Anna, vivo sob seu encantamento. É como se eu conhecesse as palavras mágicas... Mas as palavras mágicas se resumem ao simples fato de que amo alguém."

Fala rápido, como se se envergonhasse das palavras. "Não dá para cantar nesse tom o tempo inteiro", diz em tom de desculpas, quase humilde. "O cantor cansa, perde o fôlego, é impossível manter o dó de peito para dizer: 'quero um copo d'água'; ou ainda: 'hoje não venho almoçar'. Mas Anna não pode perceber que o ar está acabando. É fantástico que ela tolere minha presença. Possivelmente, não tem outra saída. Eu irradio alguma coisa, uma energia suficiente para organizar partidos políticos, movimentar multidões, algo que força uma pessoa a me aceitar, a fazer parte de sua vida — talvez isso seja o máximo... Anna não consegue se esquivar de mim. Nos primeiros tempos está indecisa e assustada. Sente, intranquila, que algo acontece, que não é mais capaz de tomar decisões, que perdeu terreno, que forças desconhecidas agem sobre ela, que tem de me aceitar. E não só isso. Tem ainda de se render, incondicionalmente. Não negocio. Minhas condições são draconianas. Não me contento com um consentimento fraco, incolor; eu parti para uma campanha de conquista — e isso é um empreendimento tão significativo na vida de uma pessoa como a guerra na história das nações. Não quero apenas pilhar, quero a verdadeira aprovação, a entrega incondicional, quero tudo, não apenas os indulgentes e tépidos favores de uma mulher chamada Anna Fazekas, mas suas lembranças apagadas pelo tempo, seus pensamentos, os segredos de infância, seus primeiros desejos, quero conhecer o corpo e a alma, a composição de suas células nervosas, fico feliz em ser médico, como se assim pudesse saber mais sobre ela, fico feliz com meus conhecimentos de anatomia, não me contento com um olhar, uma frase, um gesto, quero todo o seu maravilhoso organismo, o coração e o pulmão, o tecido de sua pele... Você está assustado? É demais? Basta?... É, ela também ficou assustada. Mas entenda, isso é uma questão de vida ou morte. Sem Anna, não sou eu, Imre Greiner, o único a morrer; morre também uma força que vive dentro de mim e de Anna e que se exprime em nosso encontro. Anna vem comigo, não pode fazer de outra maneira, a essa temperatura toda resistência se dissolve. Toda? Naquele tempo pensava que sim, toda. Ainda não sei se sobrou algo na matéria dissolvida, uma propriedade particular, a propriedade verdadeira e única de uma pessoa, que nenhuma paixão ou força externa consegue dissolver, que não se renova nem se divide, fechada e centrada em si mesma. Em alguma parte bem profunda, um lugar abaixo do corpo e da alma... talvez seja apenas o conteúdo de um grupo de células, alguns milhões de células nervosas, um grupo de neurônios... Mais tarde procuro esse tipo de explicação para o fenômeno. Mas a explicação não muda sua natureza. Por enquanto, sou orgulhoso e esbanjador, um tipo de Robur, o conquistador. Orgulhoso, meu Deus... com Anna, sou também humilde, observo seus movimentos como um cientista vê o material da experiência; será que sua cor mudará na proveta? Será que seu caráter se transformará à temperatura de mil graus do fogo que acendi em torno dela? Mas Anna é de um material resistente, aguenta a experiência. Isso já não é gentileza e devoção de homem apaixonado, nem atenção irradiada pela gentileza de uma alma que transborda de generosidade; minha adoração é mais selvagem, mais tensa, talvez até mais mecânica. Tem algo da tensão de uma competição esportiva. Como se na retaguarda um cronômetro medisse os segundos do resultado. Poderia ser de outra maneira? Vivo numa época em que o aprendiz de serralheiro sonha com altas realizações; na pista de corrida e no hospital, na política e no laboratório químico, em todo lugar se ouve o tique-taque do cronômetro, alguém ou algo observa os resultados, tudo é sempre artificialmente tensionado, angustiantemente exagerado... será possível que o amor também esteja contaminado por essa angústia e ambição, por essa intenção estranha e atormentadora, e que não seja mais um idílio, e sim um gênero de competição? Naquele tempo, ainda não pensava nisso... mas o ritmo da minha vida, minhas ambições e estudos, os sentimentos, até os momentos de descanso estavam repletos dessa vontade espasmódica. Tudo ficou mais rápido ao meu redor, não dava mais para descansar. As formas de vida são rígidas, o rosto das pessoas é duro e rígido, mais tarde, quando comecei a suspeitar desse tempo, observava os rostos com lente de aumento e ficava espantado: é tão raro ver serenidade e tranquilidade no rosto de uma pessoa de hoje, é sempre o olhar distorcido, gelado e duro de quem compete; nos cinejornais, vemos os atletas fazendo essas caretas quando estão próximos do objetivo, que pode significar a vitória, mas talvez também o fim. Aposto uma corrida com Anna. Sinto falta daquela leveza, do contraponto do peso na alma. Sinto falta do sorriso. Todo o meu tempo é de Anna, mas não percebo que é pouco... Talvez fosse mais se reservasse minutos ou horas só para ela, intervalos fortuitos que surgem por si, com atmosfera própria, independentes do calendário. Quero sempre dar tudo para Anna, mas ainda não percebi que talvez fosse melhor dar as coisas sem intenção precisa, por acaso, distraidamente. Minha ambição é realizar uma espécie de proeza amorosa. Anna me observa com os olhos bem abertos, a pequena distância. Essa distância é imensurável. Só eu a percebo... No rosto de Anna ainda vive essa serenidade, esse sorriso. Anna nunca tem pressa, tem tempo para tudo. Não pode fugir de mim, já não é possível, talvez nem queira. Quando saímos do cartório, como o corredor com o troféu de prata na mão, com a coroa de flores no pescoço, não me surpreenderia se fosse recebido pela artilharia dos flashes dos fotógrafos. E, realmente, lá estão os fotógrafos no portão... nem sabia que isso era costume, hoje em dia."

"Casamos em dezembro, agora fará nove anos", diz depois, com objetividade escrupulosa. "Dois meses depois de você ter casado. No último mês, já era Anna quem apressava o casamento."

15.

Para diante dos livros, puxa um ao acaso, folheia-o distraidamente, depois coloca-o de volta no lugar. "Excelente livro", diz satisfeito. "É, pouco tempo atrás ainda existiam pessoas assim, como esse matemático... Que personalidade sedutora! Um pensador e tanto! Você conhece aquele artigo sobre o valor da ciência? Caso se interesse por coisas assim, posso mandar para você, tenho lá em casa." Faz um gesto de desculpas, uma reverência como que se justificando, e diz: "É, lá em casa... Isso não existe mais. Tenho de me acostumar com a ideia de que já não existe. Lá em casa, os móveis, e os livros e as cartas na gaveta: nada disso existe mais. Lá em casa, isso tem de ser esquecido. Desculpe". Mas o juiz não se move. Permanece sentado na penumbra com os braços cruzados, o torso ligeiramente para trás, agora um não enxerga o rosto do outro. "Esse 'lá em casa' foi naturalmente obra de Anna. Isso era muito importante para ela, o 'lá em casa', a construção; agora que não existe mais nada, vejo com clareza a importância que dava para o lar. Vir para Buda foi ideia dela. Você conhece a rua? É aqui, nas proximidades.

Foi ela quem escolheu a casa. Eu não gostava da rua, jamais gostei. Não gosto da região, era estranha para mim, preferiria ter morado no centro, numa rua barulhenta de cidade grande. Aqui tudo era provinciano como numa cidade pequena... mas essa região me traz lembranças, tudo que é 'provinciano' imediatamente evoca meu passado e cobra alguma coisa. Anna gostava da província. Dizia ter saudades de Buda. Durante um tempo, expressou seriamente o desejo de viver numa cidade pequena, chegamos a considerar a eventualidade de eu me candidatar à cátedra de biologia de uma faculdade do interior... Mas depois soube que não poderia ter muitas esperanças, e permanecemos aqui em Buda. Mantive meu consultório em Peste por algum tempo, mas não aguentei as despesas. E, durante o dia, ficava longe de Anna. Eu não aguentava essa distância. Precisava saber que ela estava nas proximidades, três cômodos para lá, que podia vê-la quando quisesse. É, meu amigo, foi assim que começou. Durante alguns anos, os primeiros quatro, eu não aguentava, precisava vê-la a toda hora; precisava ouvir pelo menos sua voz, o barulho dos passos, saber que estava no quarto ao lado. Um médico poderia dizer que se tratava de dependência total. Mas são apenas palavras, síndromes, escritas no papel com tinta azul... Dependência, o que é isso? Eu queria uma vida de casado com Anna. Nada mais, nada menos. Aquela vida de que falam as escrituras... Para mim, teria de ser como as escrituras ensinam: a mulher larga pai e mãe e segue o marido. Até a morte. Em qualquer circunstância. Eu considerava o casamento uma união, a única indissolúvel entre os homens. E que outra coisa poderia ser? Qual seria o sentido? Isso nem é passível de discussão!", diz irritado, como se o juiz tivesse respondido alguma coisa. "Anna não discutia comigo, nunca. Agora penso naqueles tempos, naqueles primeiros quatro anos, queria ver Anna." Tapa o rosto com as mãos, como se realmente quisesse ver algo. "Sim, estou vendo", diz lentamente. "É tão atenciosa... Não, não sei dizer. Como se esperasse algo de mim. Há expectativa em seu sorriso. Estava para dizer: é um sorriso terno, protocolar. E curioso. De uma curiosidade ansiosa, de uma ternura cheia de atenção, paciência e boa vontade. Tudo isso exprime o comportamento de Anna. E mais alguma coisa. Como posso dizer? Tudo a meu respeito lhe interessa, devo contar tudo, meu trabalho, meus desejos, meus ódios, até o que penso sobre ela... Ela registra tudo, e sei que minhas palavras chegam ao destino, meus pensamentos estão seguros com Anna, ela não ri de mim, não me trata com superioridade, claro que não... Apenas não responde. E no entanto responde, responde sempre!", grita atormentado. "Responde a todas as minhas perguntas, não faz segredo de nada, não tem olhares para outro homem ou mulher — porque eu fico com ciúme desde o primeiro instante, não faço segredo, esconder isso seria sobre-humano. Ah, nem pense em cenas brutais de ciúme... afinal de contas, o conteúdo de qualquer ciúme é o mesmo... Não há ninguém próximo que me daria motivo para sentir ciúme, Anna não se interessa por nenhum conhecido, não joga charme, nunca percebi olhares lânguidos ou mensagens de sedução... Não há nenhum problema aqui, me digo para me encorajar. E realmente não há problema... Apenas sinto ciúme. De todos, de seus parentes, de seu pai, fiquei aliviado quando o velho apaixonado morreu. Todos que vivem são suspeitos. Se Anna fizer carinho numa criança na rua, para mim esse carinho subtrai parte de sua reserva de afeto. Não suportaria suas amigas; mas elas não existem. Sei que esse estado é doentio, conversei muitas vezes a esse respeito com Anna, ela entende, não a incomoda, diz que nem poderia ser de outra maneira. Quem ama é ciumento. Temos ciúme de todos em relação à pessoa amada, talvez, em última análise, tenhamos ciúmes da morte.

Foi ela quem disse isso. Toda manhã Anna conta seus sonhos, pois também devo conhecer aquele mundo que se inicia para ela no instante infiel em que cerra os olhos e se afasta de mim, aventurando-se em distantes paisagens noturnas. Não tenho grandes opiniões sobre interpretação de sonhos, mas aprecio muito os sonhos de Anna, o dia para mim começa com eles; 'sonho, aquela aventura', diz Anna; e, todas as manhãs, relata suas aventuras. É assim que vivemos. Vivemos muito bem. Acho que vivemos felizes. Mais tarde, percebo que essa vida não é vida, que essa 'felicidade' é suspeita e pérfida... Existe algo artificial e inconsciente nesses anos. Repito que Anna observa e espera algo. Não, não quer ser mãe, claro que não. Somos um casal exemplar, vivemos vida de casados. Eu conto tudo, Anna ouve tudo, perguntas e respostas se sucedem. E veja, mesmo assim, um dia percebo que Anna não responde." Fica calado um longo momento. "Entende isso?", pergunta; e então sua voz é abafada pela palma de sua mão, soa surda como a de um ventríloquo.

"Sim", murmura Kömives, com solicitude. "Penso que sim."

"Talvez eu consiga contar", continua naquela voz grave e estranha. "Anna é toda solícita. Percebe que tenho uma fantasia pequeno-burguesa em meus sonhos e aspirações. Desejos assim surgem das profundezas, de algum lugar dos devaneios paradisíacos da infância. Por exemplo, para mim é importante a 'casa'. Nada mais natural, os jovens têm orgulho de sua capacidade, querem mostrar que, como os pais, são capazes de criar um lar, na verdade querem ter em casa um canário, lareira, chinelos e, é claro, uma sala de jantar da Baviera e, na sala, artesanato em crochê e quadros com moldura dourada. Evidentemente, um 'salão' se faz necessário, com móveis nem tão modernos nem tão antigos, pois não há dinheiro para tanto. Mas, de todo modo, que haja um 'salão', e não me desagradaria se fosse decorado com ramalhetes de flores de Makart e uma cadeira de balanço... O 'homem culto' que existe dentro de mim protesta contra esses desejos, mas Anna sabe mais sobre o 'homem culto' do que eu; ela dá vida a esses desejos obscuros e envergonhados, aos poucos nossa casa parece a de um rico fabricante de estufas aposentado do século passado, adquiro quadros pitorescos e objetos de prata, sei que tudo isso é supérfluo, de mau gosto, não é o estilo de meu tempo, não tenho nada a ver com essa decoração artificial... mas lá no fundo, reprimidos, envergonhados, esses desejos vivem e discursam dentro de mim. Minha mãe não tinha ramalhetes de Makart, e meu pai nunca sentou numa cadeira de balanço; Anna nunca pergunta sobre meu pai e minha mãe, pois sabe que eu não teria coragem de responder, ela espera o momento em que todas as lembranças dolorosas, murchas e cegas surjam espontaneamente; então ajuda, tateia os locais feridos, quer fazer curativo, atura a cadeira de balanço e o aparador da Baviera... Sim, 'aturamos' a casa do jeito que é, com tudo aquilo que creio ser de um mau gosto terrível. Anna atura muita coisa. Com muita cautela, para que não doa, revira dentro de mim essas feridas. E me ajuda com tanta bondade, com tanta sabedoria; me incentiva, diz para não me envergonhar do que eu gosto, para não me preocupar em estar na 'moda', para não querer ser um 'jovem médico progressista', pois eu acho que deveríamos montar nossa casa conforme os tempos, com móveis tubulares de linhas limpas e simples, como um hospital, é o que combina comigo, afinal somos 'modernos', mas Anna apenas sorri e compra almofadas para o divã. Nem protestaria se um dia voltasse para casa com um canário ou peixinhos dourados... Tudo isso é paciência, entende? Ela me atura. Vive em casa como quem espera algo, não importa, um dia se descobrirá o sentido de tudo isso, dos móveis, dos desejos pudicos, o que dói, o que se empoeira atrás das intenções... Será assim mesmo que sente? Afinal, ela toma parte nessa vida com afeição e solicitude. É tão prestativa e paciente... algumas vezes parece mais uma empregada de alto nível, uma governanta..."

Diz com voz rouca: "Mas ela me ama... pois é, me ama. Como se costuma dizer: à sua maneira. Qual era a maneira de Anna? Ah, incondicional... Eu sei, incondicional. Anna não regateia consigo mesma. O que é amar alguém? Por muito tempo acreditei que fosse conhecer... conhecer perfeitamente, conhecer todos os reflexos do corpo do outro, com todos os segredos, todos os impulsos da alma... talvez conhecer seja o mesmo que amar. Mas isso é apenas uma teoria. Enfim, o que é isso, conhecer? Quanto se pode conhecer uma pessoa? Até onde se pode seguir a alma do outro? Até os sonhos? E depois? Na consciência dos órgãos já não consigo acompanhá-la. Não devo nem mesmo esperá-la enquanto cerra os olhos, despede-se de mim e retira-se para aquela outra dimensão, para o espaço da noite... porque existem dois mundos, o outro fica além das dimensões conhecidas em que vivemos; e nesse outro mundo talvez vivamos de modo mais real do que no mundo do espaço e do tempo... agora sei que existe outra dimensão, totalmente nossa, diferente para cada pessoa... Quando quer, Anna consegue se afastar de mim. Até de dia. Algumas vezes apenas com um olhar; durante o almoço, por exemplo, posso estar contando algo e, de repente, percebo que ela já não está ali. Quando isso acontece, eu a chamo de volta. Chamo vigorosamente. Acho que tenho esse direito. Anna concorda comigo. Não existem condições ou barganhas. Naturalmente, dormimos no mesmo quarto. Sou eu que quero assim, não tolero dormitórios separados, não quero aventuras, não quero privacidade no casamento, bastam duas camas e uma mesa de cabeceira, como se pode ver nas vitrines das lojas de móvel da periferia. E, de preferência, palavras de bênção nas paredes. E Anna na outra cama. E, quando morrermos, Anna no túmulo ao lado. Sinto que não dá para retroceder. Um homem vive com uma mulher, feliz, conforme todos os sinais, da maneira como estipulam as leis humanas e divinas. Um homem ama uma mulher e por isso tem direito a essa vida que não é a dele. Até agora não sei bem o que é amar... mas será possível saber? E saber para quê? Amar nada tem a ver com razão. Provavelmente, o amor é mais forte que o conhecimento. Conhecer é muito pouco. Existe um limite... Amar talvez seja uma coincidência de tempos. Um acaso maravilhoso, como se no universo existissem dois planetas com a mesma órbita, a mesma atmosfera, feitos da mesma matéria. É o tipo de coincidência imponderável. Talvez nem exista. Se já vi algo parecido? Talvez... muito raramente... e nem nesse caso tive certeza. Coincidência de tempos, na vida e no amor. Gostam da mesma comida, da mesma música, caminham na rua com a mesma pressa ou lentidão, na cama desejam-se com a mesma cadência... talvez seja isso. Como deve ser raro! Um fenômeno... Acho que esses encontros são místicos. Na vida real não se pode contar com essas probabilidades. Acredito que as glândulas do casal filtram e selecionam ao mesmo tempo, os dois pensam a mesma coisa sobre os fatos, com as mesmas palavras... É o que entendo por coincidência de tempos. E isso não existe. Um é mais rápido, o outro é mais lento, um é mais tímido, o outro é mais audaz, um é quente, o outro é morno. É assim que a vida e os encontros devem ser encarados... É assim que deve ser aceita, dessa forma imperfeita, a felicidade. Afinal de contas, sou um médico, não um lunático qualquer, um sonhador. Todo dia meu consultório está lotado de pacientes que se queixam da falta de amor, que não têm coragem de 'se mostrar', que se queixam desesperados de solidão. Eu sei, não estar só já é bom. Já é bom se um concorda com o outro. Em todo lugar há decepção, solidão, exigências que a natureza não pode satisfazer. Não estou só, Anna vive comigo, dorme na cama ao lado, temos cadeira de balanço na sala, viajamos juntos, lemos livros juntos, Anna não tem outra vida que não essa, que eu conheço. Para meu trigésimo segundo aniversário, Anna borda uma caixa para guardar colarinhos, que me entrega com um sorriso irônico; festejamos nossos costumes burgueses com cumplicidade teatral. Sim, até onde permitem as leis divinas e humanas deste planeta, somos felizes".

16.

"Um dia volto para almoçar, no horário de sempre, uma e meia", diz com aquela voz de quem repete uma lição. "Estávamos no final de outubro, fazia dois dias que não parava de chover. No vestíbulo, a empregada me ajuda a tirar o casaco e limpa meus sapatos com um pano. Sinto o aquecimento vindo da cozinha, já no vestíbulo percebo que Anna mandou ligar a calefação. Pela primeira vez naquele ano. Isso é uma pequena festa na família, você sabe, 'a festa da primeira vez que se liga o aquecedor'. O vestíbulo está morno, sinto o leve cheiro de querosene dos aquecedores, tenho calafrios, parece que me resfriei. Alegro-me com os cômodos aquecidos. Entro na casa em silêncio, Anna está sentada à escrivaninha, redige uma carta. De manhã, solicitei que encomendasse instrumentos novos para substituir os antigos, agora, antes do almoço, se apressa em escrever o pedido. Paro atrás dela, observo sua grafia delicada e rápida, a curva de seu pescoço, veste uma roupa de passeio azul-escuro, de manhã foi até a cidade. Não olha para mim, a carta é urgente, apenas estende sua mão esquerda. Beijo-a, lá estou atrás dela. No termômetro da janela, verifico a temperatura do quarto, dezessete graus. Muito agradável. Mesmo assim sinto frio. Vou até o consultório, tomo uma aspirina. Talvez você esteja surpreso por eu me lembrar com tanta precisão. Eu também fico. Recordamos com tanta exatidão apenas os acontecimentos históricos que presenciamos, ou as circunstâncias de morte de uma pessoa querida, é sobre isso que falamos assim, com esse pedantismo absurdo: era terça-feira, uma e meia da tarde, vinte e oito de outubro; ou: eu estava no canto do quarto, mais tarde, por volta das duas e meia, o médico veio, alguns minutos antes das três ele pediu uma limonada, quatro minutos depois das três morreu. Os detalhes nada significam em si mesmos, mesmo assim carregamos suas lembranças com pesar, dando a eles uma dimensão desproporcional. Evidentemente não há outra maneira de entender... Agarramo-nos desesperados aos fragmentos do mundo real, o fato é tão incompreensível, são necessários alguns pontos de referência reais, tangíveis, senão perdemos nosso equilíbrio. É isso. Almoçamos em silêncio. Depois do café vou até o consultório, tenho um paciente às três horas que observo há semanas, um caso limite de demência, ainda pode viver anos com seus desvarios, por outro lado é muito inteligente, um homem de quarenta anos, funcionário do ministério, não consegue controlar seus impulsos, o que diz é sensato, mas diz como num sonho, com voz arrastada e cantada, o rosto rígido como se estivesse enfeitiçado. Lembro-me de sintomas similares a esses descritos por um médico alemão, quero achar o estudo entre meus papéis. Estou em pé no consultório, em frente à escrivaninha, folheio o estudo, de repente percebo que falta alguma coisa, meus dedos mecanicamente procuram... Ah, com certeza procuro os fósforos. Mas não, estou segurando a caixa de fósforos. Acendo um charuto. A sensação de perda é forte, irritante. É, talvez tenha esquecido algo... deve ter ficado no outro quarto. Vou até lá, a empregada já tirou a mesa, abriu a janela para ventilar a sala de jantar. Então chego perto da janela para fechá-la. O que eu queria mesmo? Não consigo lembrar. Volto para o consultório fumando o charuto, dirijo-me de novo até a escrivaninha, olho distraidamente os objetos, os papéis, o estetoscópio, o aparelho de medir pressão, a lente de aumento, o martelo para ver os reflexos, no armário com portas de vidro tesouras, pinças, facas, pratinhos, no armário de remédios seringas, frascos com morfina, insulina, nitrato de prata, iodo, bálsamo do Peru, esparadrapo, gaze, os pacientes já estão chegando, pode começar o espetáculo da cura, como ontem, como há cinco anos, tudo e todos estão nos respectivos lugares. Eu também, é claro... Eu também estou no meu lugar, no consultório, na minha casa, Anna me espera alguns cômodos para lá, o banco guarda o dinheiro para mim, não muito, mas grandes problemas já não ocorrerão esse ano, talvez nem no próximo, e quem faria planos além disso? Mesmo percebendo que tudo está em ordem ao meu redor — Anna cuida de meu consultório, vejo marcas de suas mãos por toda parte, é ela que arruma meus papéis e meus instrumentos, para que tudo fique ao alcance das mãos —, continuo procurando algo, pois falta algo... Não, não falta nada. Almocei, estou satisfeito, o café funde-se em minha boca com a fumaça do charuto e com o sabor de uma aguardente leve e doce... É, estou tão leve que me sinto tonto. Será que esqueci algo? Verifico minha agenda de consultas. Às três aquele caso-limite de demência, depois uma dispepsia nervosa, depois o general com insônia, depois a viúva do juiz da corte de apelação, ela diz ter dificuldades para engolir, mas engordou durante o tratamento, depois o bilheteiro despedido da ferrovia que após servir vinte anos como funcionário exemplar, durante uma conversa desastrada deu uma surra no chefe da estação... É, tudo isso 'está em ordem'. Mas então o que falta? O que eu larguei sem querer, o que eu esqueci? Por que essa inquietude que a cada instante fica mais forte? Abro a porta e silenciosamente dirijo-me ao outro quarto: Anna... Ninguém responde. Na ponta dos pés vou até seu quarto, olho pela porta entreaberta, lá está ela descansando sobre o divã, coberta com um lençol verde, está dormindo, está cansada, está com olheiras, está naqueles dias... Fecho cuidadosamente a porta, passo pelos quartos na ponta dos pés. Tudo está no lugar. Acerto o ponteiro do relógio de mesa, que está três minutos atrasado. Nesse instante... será que foi naquele instante? Existem instantes assim? E pode isso ser medido em instantes?... Não sei. Nada sabemos. Não há objetividade nisso que digo. Não consigo provar minha fala. Não quero convencê-lo... Estou contando como posso... do jeito que se deve, não dá para ser de outra maneira. Naquele instante penso: nada tem sentido. Olho ao redor. Tudo é tão conhecido, tudo está perfeitamente no lugar, no tempo e no espaço, esta é a minha casa, com meu nome na porta, endereço na lista telefônica, estes são meus móveis, lá dentro descansa a minha Anna... Apenas, juntando tudo, nada tem sentido. Não consigo explicar. Não entendo. Que sentido pode ter tudo isso? Mas o objetivo não é ter sentido. É, essa é a verdade... Mas então o que aconteceu? Vou até o vestíbulo da entrada, meu casaco pende do cabideiro, da maneira que a empregada pendurou meia hora atrás, na parede uma vista de Oxford, uma gravura antiga, embaixo um barômetro dentro de uma casinha com um senhor de guarda-chuva e uma senhora de sombrinha. O senhor acaba de sair pela porta da cabana encantada. É, ainda está chovendo. Volto para casa, gostaria de acordar Anna; mas o que posso dizer a ela? Sinto que deveria consertar algo, antes de meus pacientes chegarem... Não se pode trabalhar assim, nem curar, talvez nem se possa viver assim. Viver? Sorrio aborrecido. Que exagero! Sento-me no consultório, há ruídos na recepção, ouço os resmungos do paciente do caso-limite de demência e a resposta da recepcionista. Não está bem assim, penso. Algo deveria ser rapidamente consertado. Talvez dispor os móveis de outra maneira. Talvez aquecer a casa com lenha na lareira em vez de aquecimento central. Talvez fosse bom viajar por alguns dias. Talvez fosse mais inteligente mudar de profissão. Talvez fosse necessário falar com Anna... Mas o que tenho a dizer para Anna? Já combinamos tudo e não há nada específico que eu queira discutir com ela nesse momento. Olho a lâmpada, acendo-a, talvez fosse a luz que fizesse falta; isso, com a iluminação tudo terá um 'significado'. Mas a iluminação não resolve... Levanto novamente, coloco minhas duas mãos sobre o coração, e imagino estar especialmente pálido nesse momento. Anna, Anna, grito, mas não emito nenhum som. Sou tomado por um medo terrível. Sinto que algo aconteceu. Sinto? Não, tenho certeza que algo aconteceu. Anna agora está dormindo, não posso sem motivo tirá-la de seu sono... Mas agora, ou um instante atrás, ou muito tempo atrás, algo aconteceu que me atinge nesse momento, no espaço cósmico da razão e dos sentidos, onde a luz das estrelas extintas chega apenas depois da tragédia — e agora sinto que essa parte do espaço, essa parte 'real', é menor, mais limitada, menos nebulosa e infinita que a minha... Num certo momento aconteceu, mas quando? Quem poderia fotografar, registrar, tatear o instante em que algo se rompe entre duas pessoas? Quando aconteceu? De noite, enquanto dormíamos? No almoço, enquanto comíamos? Agora, quando vim ao consultório? Ou muito, muito tempo atrás, apenas não percebemos? E continuamos a viver, a falar, a nos beijar, a dormir juntos, a procurar a mão do outro, o olhar do outro, como bonecos animados que continuam a se movimentar ruidosamente por um tempo, mesmo estando a mola de seu mecanismo quebrada... O cabelo e as unhas do morto continuam a crescer, talvez as células nervosas ainda sobrevivam quando os glóbulos vermelhos já estão mortos... Nada sabemos. O que posso fazer agora? Que refletor devo acender para encontrar nessa escuridão, nessa trama, aquele momento único, aquele milésimo de segundo em que algo cessa entre duas pessoas? Mas afinal 'nada' aconteceu. Anna não me traiu — mas nesse momento quase desejo que o tivesse feito, que tivesse alguém, um inimigo visível e palpável que eu pudesse atacar e matar... Mas não há ninguém. Somos apenas nós dois, ela e eu. E essa penumbra. E são esses os móveis, essa a casa, essa a profissão que, de repente, perdeu todo o sentido, agora resume-se apenas a uma fórmula química cujo conteúdo se evaporou. Tudo é nebuloso, obscuro. O conteúdo e o sentido da vida se volatilizaram. Até quando se pode viver assim? Ah, eu sei, por muito tempo. Recebo doentes que vivem assim há décadas, na escuridão, eternamente à beira do abismo, cuja profundidade é imprevisível, não tem sentido ou conteúdo... tudo em torno é vazio e escuro. Anna está dormindo, imersa num sonho mortal. O que ainda nos espera? Avançamos tateando no vácuo dessa escuridão, o mundo é cinzento, vazio e frio... Viver assim, por muito tempo. Comer, dormir, fazer sexo... Sim, por que não? Assim como fiz até hoje. Porque agora sei — a penumbra tem tons mais claros e mais escuros, o vazio pode ser mais denso ou rarefeito! —, agora sei que não é desde ontem que vivemos assim, nem há um ano, mas desde que nos conhecemos. Nenhum de nós percebeu. Não quis, não teve coragem de perceber que um dia a vida não teria mais conteúdo e sentido... Nem os mais fortes suportaram. Tolstói tinha cinquenta anos quando esse vazio irrompeu. Ele também não aguentou. Ninguém aguenta. Para onde fugir? Para a 'vida'? O que é isso? Um tipo de teatro, com mulheres embonecadas, pratos de cobre estrondosos, focas amestradas? Ganhar dinheiro? Refugiar-se no trabalho? Mas tudo isso só tem sentido se Anna estiver atrás de mim. A vida... Anna é a vida. Agora está dormindo, e eu sei que ela não tem nada a ver comigo, não temos mais nada a ver um com o outro. Quem a tirou de mim? Quero procurá-lo, encontrá-lo, acusá-lo e depois algo aconteceria... talvez traga-o aqui, que viva com Anna, existem muitas maneiras de viver a vida. Qualquer coisa, menos esse vazio. Foi assim que começou. Desde então vivemos assim. Faz quatro anos."

Levanta o dedo indicador e diz: "Em linguagem médica, o nome que se dá a isso é 'insensibilidade'. É um eufemismo, perfeito para ser utilizado em âmbito profissional. Mas, na vida, não explica nada. Um dia, depois de quatro anos de casamento, de tentar conviver a todo custo, tenho de perceber que Anna é assim... Até então não tinha percebido. Não é fácil perceber. Nem Anna sabia. O fenômeno é frequente. Quando deparo com ele, examino a fundo, recolho os dados clínicos e me espanto: como é frequente! Para onde quer que olhe, vejo algo parecido. Ao desmontar tragédias, encontro isso na base. Famílias se desmontam, pessoas procuram refúgio na morte ou perdem a capacidade de trabalhar, não produzem mais, o senso de responsabilidade diminui, a relação familiar esfria, os sentimentos se perdem, ficam empoeirados, um dia a vida se desmancha... e atrás de tudo isso encontro uma mulher frígida. Não acredito. Começo a pesquisar. Rejeito qualquer teoria, afasto de mim os instrumentos auxiliares da expedição científica, parto para a floresta selvagem munido apenas de um machado. Devo cruzá-la. Não se pode ficar resignado. Encontro também sintomas reconfortantes. Finalmente concluo. A certa altura, deve-se chegar a uma conclusão... Presumo que a frigidez seja consequência de fatores sociais. Causas prováveis: educação, o meio, o medo, tudo que é o preço da civilização. É mais forte naquelas pessoas que, em razão da posição social que ocupam, têm responsabilidade maior pela civilização. Lá embaixo é mais suave, mais atenuada. Percebi que na nossa classe social a maioria das mulheres é frígida", diz em tom agudo, duro. O juiz bate na mesa com o abridor de cartas. Não é possível opor resistência ao gesto, é involuntário, o ruído é baixo, autoritário. "Desculpe", diz. "Isso é uma generalização. Toda generalização é barata. Barata e perigosa." Tosse. O doutor Greiner espera o ataque de tosse do juiz passar. "Expus com cautela", diz, teimoso. "Eu disse: a maioria das mulheres. E ainda: na nossa classe social. Parece que é consequência do desenvolvimento da civilização. Os sentimentos se atrofiam. As formas de vida também se atrofiam. Algumas vezes consigo apontar os motivos, o acaso, a sorte ou uma análise específica traz algo à tona... Mas na maioria das vezes não descubro nada. Apenas constato, sem desvendar a causa e a composição. Às vezes consigo atenuar os distúrbios... Mas é raro. Durante um tempo, sinto até vergonha, pois fico com fama de médico milagreiro, as pessoas com problemas graves tentam farejar ajuda. É claro que não consigo ajudar. Atenuar, explicar, acalmar, isso eu posso. Sou pérfido: meus pacientes não me interessam. Imagine que alguém de quem você gosta muito está doente... E para que o tratamento dê certo seja necessário dissecar seres vivos, fazer experimentos com eles, assim talvez surja uma solução... Gostaria de curar Anna. Agora ela também já sabe. Existe algo entre nós que a impede de estar totalmente comigo. O corpo é obediente, a alma é prestativa. Mas ela não entrega o último segredo, aquela propriedade particular. Aquilo que é muito importante para ela, uma lembrança, um desejo, algo ou alguém. O que é essa coisa insignificante comparada à infinita substância da vida? A natureza trabalha com um desperdício inacreditável, contamos no cérebro seiscentos bilhões de células, o que significa um sentimento latente, um impulso do qual não se tem consciência, ao lado desse desperdício de material? Às vezes, acho que quase nada. Outras, vejo que tudo depende disso. É claro que não se pode viver nesse estado de concentração. Eu tento fazer o que acredito ser o único sentido da vida: servir às pessoas. Trabalhar, a qualquer custo. Disseco-me a mim mesmo, não tenho piedade, deito na mesa de operação, não sobram segredos, examino todos os meus sentimentos e lembranças, quase desejo que a culpa seja minha, que o erro seja meu, eu é que não gosto de Anna, ao menos não o suficiente, ou não fui hábil o bastante, ou esperto o bastante... porque talvez isso também seja necessário. O amor não é um idílio! Nesse meio-tempo fico doente. Meus colegas me examinam, ouço o que gostaria de ouvir. A primeira crise da maturidade. Tem nome, tudo tem nome: ansiedade, dizem, arritmia cardíaca. A alma não consegue processar um impulso, transfere-o para o corpo, perturbando sua capacidade de desempenho. Não é grande coisa. Algumas vezes degenera. Isso é um processo curioso cujo mecanismo ainda não dominamos. Angústia, apenas isso... Manifesta-se sem motivos. Depois passa. Você não deve conhecer isso porque é uma pessoa saudável, não tem desejos obscuros e reprimidos", diz de passagem, rapidamente, com jeito indiferente. O juiz sente que agora está muito pálido; surgem gotas de suor em sua testa; com um gesto discreto, pega o lenço e a enxuga. "Existe uma teoria que diz que essa sensação, essa angústia curiosa, é característica de uma cultura moribunda que a civilização tornou rígida demais. Tem razão, é apenas uma teoria. Mesmo assim, os sintomas persistem. É uma sensação degradante. É... humilhante. Como se você tivesse cometido uma falta. Onde já se viu algo assim?... Vivemos dessa maneira durante quatro anos. Depois Anna não aguentou mais. Parece que não suportou a tensão. No oitavo ano de nosso casamento, decidimos nos separar. A notícia de nosso divórcio surpreende e entristece nossos conhecidos. Sempre fomos considerados um casal modelo. Éramos citados como exemplo. Nunca nos traímos. Nunca brigamos. Apenas não suportamos aquilo que ocultávamos do outro. Uma espécie de propriedade particular, você sabe. Anna resolve viajar. Depois vivemos separados por seis meses."

17.

"Como foram esses quatro anos, essa segunda parte de nosso casamento?", pergunta e olha pela janela. A rua ainda está escura. A casa está gelada. O juiz está cansado, treme de frio, esfrega as mãos. O doutor Greiner está sentado com os dedos entrelaçados, de tempos em tempos olha as palmas das mãos, depois volta a entrelaçar os dedos. "Eu tento evitar essa... essa maneira de ver as coisas. Existe algo dentro de mim que não aceita isso. A vida é síntese. Ficar juntos, suportar a vida, afastar as angústias. Existe a vontade. Pois é, existe... E pode muito. Existe cura também. Eu já presenciei. Não se pode saber o que leva uma pessoa a se curar. Desprezo essa vertigem, existe algo de imoral nela. Procurar manter tudo junto, o corpo e a alma, acreditar, olhar para cima, em busca da razão. Lá em cima é luminoso... somente as águas profundas são repletas de sombras, de répteis repugnantes, de insetos estranhos, que nadam e se arrastam no fundo, sem serem conduzidos pela razão... Para o alto, para a luz!, penso. Lá resplandece o rosto de Anna. Que mantenha seu segredo, penso. Agora já sei que não pode ser de outra maneira, não existe entrega total, são as circunstâncias, os acasos que decidem nosso destino. Vamos nos contentar com o que recebemos. Com os detritos. Talvez eu me contentasse... você sabe, quando se trata do todo, tudo ou nada, quando se fica humilde... Anna não está totalmente comigo quando está comigo... difícil falar sobre isso. Até hoje à noite é difícil falar sobre isso... Por um tempo ela ainda deseja a absolvição, deseja desesperadamente, deseja como um excelente aluno deseja saber a resposta de um problema. Anna é boa, Anna é pura, Anna gosta de mim. Afinal, pode-se viver assim... Muitos vivem assim. Aonde chegaríamos se todos exigissem a perfeição, a verdade, a solução definitiva! Existem outras coisas. Existe a paciência, o ato de servir, o mundo infinito... Veja, tudo isso é vazio, misteriosamente vazio, se seu interesse não for penetrado por aquela estranha energia, aquele misterioso fluxo entre você e um outro ser vivente... A vida é isso. Depois existem outras coisas que ajudam a passar a vida. Mas a engrenagem funciona vazia, sem triturar nada. Eu talvez ainda aguentasse. Mas é Anna que um dia foge da ribalta... A casa, onde ontem ainda morávamos, hoje é apenas cenário, apetrechos que nada significam. As palavras, que ontem ainda significavam algo, hoje apenas comunicam fatos."

"Isso vai ser assim durante quatro anos", murmura. "Quatro anos. Quatro anos de espera. Quatro anos de tentativas, de métodos médicos, modo de vida, vida social, solidão, entorpecentes. Quatro anos de inferno."

"Desculpe", diz Kristóf Kömives, também murmurando, quase com ternura. "Você nunca foi... quer dizer... Você não acredita em nada?..."

"Não consigo responder a essa pergunta", diz o médico.

Agora ficam em silêncio por um longo tempo. A porta se abre devagar. É Teddy que entra pela porta entreaberta, o irrequieto *airdale terrier*. Aproxima-se com cautela, como se não estivesse totalmente seguro de seu ato, tem os pelos eriçados, treme, chega com muita humildade. "Ainda deve estar nervoso", pensa Kristóf, distraído. Gostaria de mandar o animal embora com um gesto imperioso, mas suas mãos parecem de chumbo, o impulso do movimento não as atinge. Aliás, sente-se estranho. Uma frase lhe vem à mente: "O amor nunca se esgota". Leu na Bíblia, e há pouco tempo, num túmulo. Gostaria de dizer em voz alta; mas alguma coisa aperta sua garganta. Já é tarde, talvez esteja até amanhecendo. Mas não está cansado, está muito atento, disposto, nem se lembra da última vez que se sentiu tão fresco, tão descansado. Teddy vai até o médico, coloca a cabeça sobre os joelhos da visita e olha o estranho de maneira indagadora e paciente. O médico acaricia a cabeça do animal com lentidão. "O que mais posso dizer sobre esses quatro anos", diz e, como se perguntasse para o cachorro, encara o animal. "Havia algo de infernal em tudo. Sem dignidade... Não se pode viver sem dignidade. Pelo menos ela, Anna, não sabe viver sem dignidade. Então foi embora. Viajou durante seis meses. O advogado entrou com o processo de divórcio. Ela telefonou ontem à tarde. Ou foi anteontem? Não sei... o tempo se embaralha. No final da tarde, lá pelas seis. Chegou. Sua voz estava tão estranha ao telefone. Hospedou-se num hotel. Sim, ela sabe, amanhã de manhã... o advogado já lhe escreveu. Depois fica muda. Fazia seis meses que não nos víamos. O que aconteceu com ela nesse período? Onde eu vivi? O que aconteceu comigo? Tudo isso não é 'explicável'. Deve-se contar de uma vez só, num fôlego só, ou com um único silêncio. Ouço seu silêncio em algum lugar distante, na cidade, numa cabine telefônica. Depois ela diz que gostaria de falar comigo. Seria muito rápido, não devo me preocupar, não há nenhum problema. Tudo será conforme o combinado. Ela sabe que isso não é correto, o certo seria não nos encontrarmos, mas durante esse tempo fomos pessoas muito razoáveis. E, quando me calo, diz que está muito cansada. Talvez eu pudesse visitá-la. Mora nesse endereço, num hotel à beira do Danúbio. Pede para eu anotar o número do quarto; não preciso declarar meu nome na portaria. Tudo isso é diferente, estranho, de arrepiar. Que eu vá ver Anna e não declare meu nome... E depois falaremos; sobre o quê?... Quem me receberá, com que roupa e o que acontecerá depois? Chamará a camareira? Pedirá chá? Tudo isso é tão embaraçoso que, sem saber o que fazer, solto uma risada ao telefone. Vejo-me nitidamente na frente de Anna, com o chapéu na mão num quarto de hotel, e ela diz para eu sentar... Talvez seja hospitaleira... No quarto, espalhadas, roupas e malas, provavelmente também aquela mala cor de vinho que eu comprei para ela um ano e meio atrás, na rua Dorottya... Mas quem sabe também objetos novos; quem sabe? Com certeza. Começo a ter medo desses objetos 'novos'. Talvez já tenha um roupão novo, nesses últimos meses lhe dei muito dinheiro, sei que ficou bastante tempo num sanatório em Estíria, depois viajou para Berlim, visitou uma amiga que tinha mudado para lá. Pode até ser que já vivesse com outro homem. Seria bom, penso eu. Mas naquele instante, sou traspassado por uma dor, como num corpo mal anestesiado quando o bisturi chega ao peritônio... Não, não suportaria essa dor. Não sei como uma pessoa se comportaria ao ser atingida por uma dor como essa. Talvez começasse a bater e a chutar, por mais nobres que fossem suas intenções. É melhor ficar em casa, evitar o encontro. Sempre detestei casais que fazem o tipo 'bons companheiros', que durante a separação ou até depois continuam a se encontrar com absoluta cordialidade, jantam juntos, trocam confidências, permanecem bons amigos. Eu não quero ser um bom amigo. Vamos nos separar amanhã ao meio-dia. Até sei o nome do juiz, foi meu colega de escola, será ele quem pronunciará a sentença do divórcio. Depois não vou mais querer ver Anna. Não sou magnânimo. Não quero ser confidente, nem amigo pródigo. Não quero ser nada nem ninguém para Anna. Ficaria feliz se soubesse que não mora mais na Europa... é, talvez ficasse feliz em saber que morreu. Que tipo de pessoas devem ser aquelas que 'depois' continuam amigas cordiais e prestativas? Eu era ligado a Anna por sentimentos mais obscuros, mais fortes, mais puros. Queria amá-la por inteiro, sem segredos... E agora quero enterrá-la por inteiro, com todos os seus segredos. Não quero encontros açucarados. Detesto essas coisas. E de repente ela diz: 'Espere-me em casa'. E desliga o telefone."

Com as duas mãos, levanta a cabeça do cachorro, com os dois polegares abaixa a gengiva inferior do bicho, observa os belos e saudáveis dentes amarelados. "O consultório está vazio, foram todos embora. Ando pela casa. Nesses seis meses, vivi sozinho. Dispensei até a empregada... Você sabe, empregada antiga é uma espécie de cúmplice, sabe de todos os pecados que não costumam constar de seus livros. Tenho uma diarista para quem, desajeitadamente, não conto a verdade... É, nunca sabemos o que nos envergonhará no futuro... Algumas vezes a proíbo de entrar em meu quarto pela manhã, como se alguém tivesse passado a noite comigo. Mas na verdade ninguém esteve lá. Ninguém nesses seis meses. Esses seis meses... não foram os piores. Havia um vácuo, o vácuo da memória. Os quatro anos, os oito, os trinta e oito anos antes foram piores. Não estou tranquilo, mas não sofro em particular. É uma sensação de euforia agradável, que os muito doentes sentem antes do fim. Bom, essa euforia agora terminou. Devo ir embora? Todos os meus nervos me incentivam a fugir. Agora percorremos a casa, afinal não posso fazer Anna sentar no salão; o que será depois? Escolhemos móveis, como nos primeiros tempos? É assim que começa um casamento, mas como termina? Paro no vestíbulo escuro, é como se os alarmes soassem. É assim que espero Anna. Ela chega, toca a campainha. Toca em silêncio, com cautela. Depois de novo tudo é diferente. É muito mais simples do que eu imaginava. Não sei com que palavras a recebo, beijo suas mãos ou nos cumprimentamos de modo mais distante? Como está Anna? É tão conhecida... Mas está de sapatos, bolsa e chapéu novos. Está muito cansada. Vamos ao consultório, como se ambos procurássemos a neutralidade do espaço de trabalho, Anna se deita no divã, naquele decrépito divã do consultório, como muitos outros, os doentes e os exaustos. Faço chá. Anna não assume o papel de dona de casa, não diz nada inadequado, não olha em volta, não constata com ciúme que isso ou aquilo está fora do lugar. Permanece deitada, com os olhos cerrados, tomou chá, sento-me ao lado dela, seguro sua mão, lança um sorriso débil, continua com os olhos fechados. Ficamos em silêncio, olho seu rosto branco e familiar, dolorosamente familiar. Qualquer pergunta é desnecessária e sem esperanças. Por que ela veio? O que poderia dizer? Não seria melhor se amanhã, em frente ao juiz, entrasse no tribunal de braços dados com seu advogado, e que vivêssemos os últimos instantes de uma relação de oito anos, agora aos pedaços, entre estranhos? Permaneço em silêncio, porque qualquer palavra poderia me ferir, não dá para 'desconversar', como nas antigas peças de teatro, toda palavra revela tudo, e eu não sei o que poderá desmoronar. Passam-se muitas horas assim. Lá pela meia-noite, senta-se no divã, não larga a minha mão, e começa a falar. Quer dizer algo. Faz muito tempo que já sabe; mas entre saber e saber com certeza vai uma grande distância. Vive-se, sabe-se de algo, o saber penetra nos sonhos e pensamentos, sempre se pensa naquilo, mas nunca com palavras ou imagens. Depois, um dia, fica-se sabendo. Quando já não se pode fazer nada. Como durante uma partida de xadrez, quando podemos apenas mover uma casa para cá ou para lá. Um passo, isso ou entregar o jogo; um passo, é o que a vida permite, e o inimigo, esse inimigo invisível, não dirá 'mate', pode-se viver muito tempo assim, sem esperança, com a possibilidade de um único passo. Mas agora sente que não tem muitas possibilidades. Fica confinada num canto, entediada desse passo para lá e para cá. Meu Deus, entediada... Que palavras são essas? Sente que basta. Escuto-a e com dois dedos, sem me dar conta, sinto seu pulso. Seu coração bate tranquilo. Não está agitada, nem delirando. Diz coisas sensatas, com grandes pausas, silêncios. Passamos a noite conversando assim, objetivos, sensatos, sem sentimentalismos, sem explosões emotivas."

"Agora já consegue falar sobre isso, porque não dói mais", diz o doutor Greiner, e examina atentamente a arcada dentária do obediente e bem-comportado Teddy. "Para chegar a essa consciência, é preciso solidão, uma solidão profunda. Foi essa solidão que ela experimentou. Lutou contra ela durante meses, a alma acumulou reservas, armou-se para obter essa consciência. Depois, um dia, acontece. O quê? Quase disse: o encontro. O encontro consigo mesma. Deve ser assustador... eu não teria coragem. Meu trabalho, meu ser, meu papel, tudo repousa no fato de que não me conheço muito bem. Anna viveu esse momento. Não dá para fugir dele. Diz que é de uma solidão infinita, incomensurável. Não há ninguém nesse vácuo que possa ajudar. É preciso suportar. Começa em Berlim. Um dia recebe uma carta do advogado que fará a audiência com o juiz sobre a separação. O advogado comunica que a data da audiência foi fixada, e escreve também o nome do juiz. Doutor Kristóf Kömives, é esse o nome do juiz. Depois escreve outras coisas, que falou comigo, que discutimos a ajuda financeira para Anna. E, de repente, sabe. Não há nada de espantoso nisso. É como uma ordem, um golpe. O fantástico talvez seja como a alma se esquivou da ordem recebida! Oito, nove anos! Anna calcula com precisão: dez anos e três meses. Foi quando viu você pela primeira vez, num baile. Tinha vinte anos; e você já era juiz. Um homem solteiro. O resto... bem, você conhece o resto. Agora já sabe. Não se defenda; não há motivos para isso. Ninguém o está acusando. Ninguém é... talvez ninguém seja responsável. Mas tenho uma pergunta. Uma única pergunta. Já fiz. Agora faço de novo. Talvez... agora que, você sabe... agora você já entende a pergunta. Você sonhou com Anna nesses últimos oito, dez anos?" Sua voz é simpática, como se quisesse implorar, como se quisesse apaziguar; um pouco a voz de um mendigo, um pouco a de um médico. Kömives bate três vezes com o cortador de papel na mesa; depois larga o objeto. "Sonhar... O que é isso?", pergunta com a voz rouca, em tom de desprezo. "A vida não é formada de sonhos." "Ah, não", apressa-se o médico em acalmá-lo. "Os sonhos, você tem razão, os sonhos não significam muita coisa. Não modificam nada, não refletem a existência... ou pelo menos é raro que influenciem a vida diária, embora existam exemplos nas ciências, nas artes e na literatura. Mas o sonho, você tem razão, na maioria das vezes é confuso. Sem significado. E raramente o sonho é causa de alguma coisa; geralmente é consequência. Veja", diz com humildade, quase implorando. "É por isso que eu vim. Não é muito o que peço. Não significa nada para você. Simplesmente... antes de decidir o que fazer... quero saber a verdade. Uma pessoa na minha situação nem pode pedir menos. É como se você desse uma esmola para um mendigo. Para mim essa esmola é suficiente. Confesse... não, isso é exagero, é uma palavra dura demais! Tenha piedade de mim, pense, rememore, e presenteie-me com essa verdade nebulosa, inútil e desinteressante. Você sonhou com Anna nesses anos?", repete obstinadamente. O juiz se arrepia, estica os membros entorpecidos, faz horas que está sentado imóvel, sente frio, uma sensação gelada percorre sua espinha. "Sonho", diz, muito lentamente, como se tivesse de arrancar cada letra de um lugar distante, de uma matéria primordial, onde as letras se embaralharam. "Sonhos, loucura", repete com dificuldade, arrastado. "É isso mesmo", apressa-se o médico em acalmá-lo. "Sonhos, bobagens. É menos que a neblina. Não há o que fazer. As sombras brincam conosco. Você sonhou?" O juiz olha para a escuridão. "Dez anos. Você diz, dez anos... Não me lembro." O médico, com presteza: "Acredito, é claro que acredito. Que ousadia até mesmo supor que... Não dá para lembrar de qualquer sonho bobo. E se eu não viesse até aqui esta noite, talvez você nunca soubesse... Algumas vezes a alma faz milagres. É capaz de isolar um pensamento, uma recordação, um desejo... totalmente. Veja, Anna também não soube durante muito tempo. Depois, quando houve o encontro, quando soube, da maneira que se toma conhecimento da realidade, que se tem mãos ou pernas... não entendeu como conseguiu fugir durante dez anos da realidade. Insistiu que foi uma fuga quase perfeita. Bem, os sonhos... com os sonhos não conseguiu fazer o que fez com perfeição durante o dia nestes dez anos, e quase sempre, quando estava comigo, nos meus braços. Ela me amava, nem dá para imaginar de outra maneira. Mas estava amarrada a você. É difícil acreditar nisso. Nem eu acreditei... talvez nem agora acredite. Preciso de uma contraprova. É por isso que estou aqui. Não tem nenhum significado prático, afinal Anna está morta... é, eu a matei. Trata-se apenas de um interesse teórico da minha parte. Uma verificação científica. É claro, tenho interesse pessoal também... justamente porque Anna morreu. Você sabe, naquela noite ela me contou que dez anos atrás vocês se encontraram, e esse encontro teve o mesmo efeito de abrir o céu e a terra; foi aquela coisa; 'o' encontro... Algo assim equivale a ouvir uma ordem. Não dá para passar ao lado fingindo não ouvir, não dá para entender errado. Foi assim que ela entendeu, e nessa noite me contou que você também deve ter ouvido a ordem. É impossível não ouvir, essa ordem tem mais potência que um trovão, não dá para ser tão surdo e passar sem perceber, indiferente, enquanto a ordem ribomba nos ouvidos. Um encontro desses ocorre uma vez na vida. Mas depois a vida, você sabe... e a outra pessoa... algumas vezes vai embora. Não dá para explicar. Ninguém pode fazer nada. A vida continua, a ordem inequívoca foi pronunciada, vocês se encontram algumas vezes, depois você casa, depois não há mais nada, vem o dia, a juventude, aquilo que se costuma chamar de 'a ordem das coisas', eu apareço, e de tudo sobra apenas um alvorecer nebuloso na consciência, os gestos, a voz de uma pessoa que uma vez a acompanhou na ilha, com raquetes de tênis na mão. Isso é menos que nada. Será que ela 'lembra' de você de vez em quando? Não é provável. Garotas jovens são muito cortejadas. E você nem ao menos a cortejou. Ora, fazer a corte... essas palavras nada significam. São apenas fantasias de uma garota. Depois a vida toma Anna, vem outro homem. Eu sou esse homem, amamo-nos, amamo-nos a qualquer custo. Ela me oferece tudo, menos você. Não sabe, não fala sobre isso, não pensa nisso. Talvez sejam as minas que queimem assim, com essas lentas colunas de fumaça, como esses segredos na alma. E durante o dia as imagens seguem os sonhos, com milhões de variantes, com rostos, máscaras e situações; e você no meio de tudo. Depois ela está comigo, acordada, mas é como se não estivesse. E naqueles instantes em que acha que está comigo, é você que se volta para ela". "Isso é loucura", diz Kristóf Kömives; e faz que vai se levantar. Mas o médico segura-o com um único gesto frio e duro. "Veja, só você pode esclarecer esses sintomas. Pode ser que seja loucura. Alucinação. A alucinação de uma mulher histérica. Mas se eu encontrar em você a outra parte do sonho... então não será mais alucinação. Será realidade. Real como as montanhas, os rios e as casas. Então realmente existe uma outra realidade, onde acontecem coisas; os fatos, as ações, é, apenas os próprios objetos conseguem refletir essa outra realidade, mais verdadeira. Se você responder, se você conseguir responder, então Anna disse a verdade. Custa apenas uma palavra. Você não tem coragem de dizer? Quer ajuda? Ou você não conhece essa palavra? Responda!", diz num tom de voz encorajador. Então levanta-se, vai até a frente do juiz e fica em posição ereta, como se tivesse crescido. Está na frente de Kömives nessa pose provocativa e imperiosa. "Você não aguenta... é, entendo, deve ser difícil... Então, afinal, tudo que você construiu e que está dormindo e descansando ao seu redor, foi apenas um mal-entendido. Um tipo de mal-entendido... Responda!" Debruça-se com os dois cotovelos na mesa e inclina-se sobre o juiz. "Ela já respondeu, Anna já respondeu. Ela sabia com certeza, pois ousou responder. Quase de manhã, quando já tinha contado tudo, fui até a cozinha, fiz café, porque ela estava com calafrios. Quando voltei, tinha adormecido. Cobri-a e deitei-me ao seu lado. Já amanhecia. Dormia profundamente, algumas vezes tremia no sono; trouxe mais um cobertor e coloquei em seus ombros. Dormiu mais umas duas horas assim... Foi então que percebi. Uma baba começou a sair de sua boca. Encontrei o frasco de vidro na mesa do consultório. Tomou durante aqueles dez minutos, quando fui fazer o café na cozinha. Era por volta de cinco e meia da manhã. O veneno já começou a ser absorvido, eu conhecia o organismo de Anna, conhecia como se o dela fosse o único corpo existente no mundo. Nesses momentos, agimos de maneira mecânica. Sabia que ainda havia tempo. São necessárias quatro ou cinco horas para ser bem absorvido. Os reflexos de médico funcionavam, eu sabia o que tinha de fazer, tirei da gaveta de baixo a bomba gástrica já com os dedos no telefone para chamar uma ambulância. Nesses momentos não se pensa e não se sente; você vê, de repente eu era de novo um médico, meus nervos reagiam com uma prontidão fantástica, enchi uma seringa com remédio para estimular o coração e, segurando a injeção e a bomba gástrica, dirigi-me à adormecida Anna. Já estava inconsciente, mas inconsciência ainda não é morte... Joguei a bomba gástrica na mesa e levantei com dois dedos as pálpebras cerradas, mas já estavam rígidas. Os olhos estavam lá, parados, você sabe como são essas coisas... seria triste, se eu não soubesse... conhecia o organismo de Anna, a força do narcótico, a dose tomada, sabia como e quando o corpo reagiria... sabia que a dose era mortal, mas ainda não estava totalmente absorvida, eu poderia ajudar, e tinha de ser naquele instante, talvez por mais meia hora... o pulso estava fraco, arrastado, mas agora, nesse instante, se eu tentasse tudo, talvez conseguisse trazê-la de volta à vida. Talvez? Se não fosse médico, não saberia trazê-la de volta. Um caso didático... dá para mostrar e ensinar como se faz quando realmente sabemos algo. Jogo a seringa, sento-me ao seu lado, examino a pulsação, observo. Enxugo com o lenço a baba que sai de sua boca. Olho por muito tempo. Agora sei que não vou conseguir salvar Anna. Ela tomou seu rumo, já passou pelo mais difícil, já deu o primeiro passo. Não sabe mais nada. Caminhando com leveza como num sonho — literalmente um sonho —, pode ir da vida para a morte. Com essa inconsciência flutuante, um pouco do modo como viveu... Não dá para ir embora de maneira mais bela... Seguro sua mão, o pulso está cada vez mais débil, irregular, cansado. É um ritmo estranho. Sei que não vou chamar a ambulância. Por um instante deixo Anna, é a diarista tocando a campainha, já são oito horas. Vou até o vestíbulo, mando a mulher embora, coloco um aviso na porta: 'O dr. Greiner viajou'. Volto para Anna. Agora... não adianta fazer mais nada. O corpo, que jaz à minha frente, esse corpo precioso, o mais doce, agora é apenas um monte de células impregnadas com os últimos lampejos de vida. Esse corpo nunca se entregou totalmente a mim. Sento-me apoiando os cotovelos nos joelhos e olho. Por que deveria eu ter trazido esse corpo de volta à vida? Algo aconteceu com ele, um acidente pelo qual ninguém é responsável. Um acidente, idiota e impessoal... Trombou com alguém no caos do mundo, a alma avariada continuou seu percurso, mas nunca se curou. O que ainda a esperava? O que os doentes podem esperar? Ela foi embora de maneira fácil, com aquele sorriso cansado e doce no rosto que eu tanto conheci e amei... esse sorriso era ela, Anna... e nessa hora ainda encontro o débil reflexo do sorriso no rosto privado de consciência. Enquanto isso, já passa do meio-dia. Não sinto mais o seu pulso. Desde quando estou aqui sentado, ao lado do corpo de Anna? Foi às cinco e meia da manhã que percebi seu estado inconsciente. Olho para o relógio, já passa das três da tarde. Faz nove ou dez horas que estamos assim sentados, nós dois. Nós dois... é, agora é minha. São essas as horas em que entendo Anna, entendo as forças que alimentam a vida e a morte. Não saberia explicar, nem fazer uma palestra a esse respeito. Apenas entendo. Lá pelas quatro cubro Anna com o xale que ela tanto gostava de usar. Sei que a matei. Qual o nome disso no código penal? Assassinato por displicência? Homicídio? Na verdade pouco importa a qualificação. Vou até o banheiro e faço a barba. Depois volto para o consultório, dou um sumiço na injeção com a qual quis reanimar o coração de Anna, pego outra e encho de morfina; arregaço minha manga, passo um algodão com éter sobre a pele... mas o gesto me assusta. Parece que ainda não quero morrer. Ainda devo ter trabalho a fazer. Essa pequena precaução médica me avisa que não sou sincero, que não quero morrer, pelo menos não agora. Antes, tenho de resolver, saber algo. Tenho de saber a verdade, ouvir a segunda parte da frase. Depois, sim... Anna começou a frase, agora peço que você a termine. Penso que se deve responder à pergunta de uma dama. Deixo Anna, tranco a casa, venho até aqui em busca da resposta. Não posso ir embora enquanto você não responder. Você sonhou com Anna esses anos?"

 Teddy agora atravessa o quarto, para em frente à escrivaninha e aproxima-se de Kristóf. O juiz se levanta. Entrelaça por trás os dedos, mantém-se bem ereto. Pelo quarto, difunde-se uma fria e pegajosa claridade matutina; o rosto de Kristóf Kömives fica cinzento nessa luz úmida. "Sim", diz com a voz grave e rouca. "Muitas vezes?", pergunta o médico. "Muitas vezes." O médico balança com boa vontade a cabeça, nem podia esperar outra resposta, agora só gostaria de conhecer os detalhes insignificantes. "Em períodos regulares?" O juiz põe-se a pensar. Cada palavra sua é nítida e seca, como se estivesse ditando. "Não sei responder a essa pergunta." O médico meneia de novo a cabeça e lentamente esfrega as mãos num gesto inconsciente e friorento: "Sim, é difícil responder a essa pergunta. Nem é importante. Mas então... apenas mais uma. Por acaso teria acontecido", pergunta em tom educado, incentivando a resposta, "teria acontecido nesses dez anos e três meses de você estar junto de alguém... penso em termos físicos... e durante essa relação o rosto de Anna ter surgido de maneira nítida, clara, inconfundível?". Kristóf Kömives começa lentamente a caminhar, contorna a mesa, vai até a janela, para e olha para fora. Diz assim, sobre os ombros: "Não quero responder". "Obrigado, isso é suficiente", diz educadamente o médico. "Não tenho mais perguntas. Desculpe-me por ter tomado tanto de seu tempo." Inclina-se e dirige-se para o vestíbulo.

18.

Kristóf Kömives acompanha-o até a porta do vestíbulo; ajuda a visita a vestir o sobretudo, abre a porta. "Adeus", diz o médico; está parado no vestíbulo com as mangas do casaco arregaçadas, chapéu na mão; meio tímido, faz nova saudação, inclinando de novo o corpo. "Adeus", diz Kömives; depois fecha a porta; permanece parado por um curto espaço de tempo, ouve os passos incertos e cautelosos do médico. Volta para o quarto. Teddy não sai de seu lado. "Deite no seu lugar", diz em voz baixa para o cachorro. Mas Teddy agora está realmente "nervoso", treme, eriça os pelos, grunhe baixinho. O juiz admite a proximidade do animal, que está tremendo, senta-se na poltrona em frente à escrivaninha, com uma das mãos segura o pescoço do cachorro e, distraído, faz carinho na cabeça do animal de nariz úmido. O silêncio da rua vazia na madrugada é quebrado pelo som do portão que bate. Kristóf olha o relógio: seis e quinze. Dali a meia hora começam a arrumar a casa. Está com frio, parte para um lento passeio pelos quartos gelados, para em frente à porta do quarto das crianças, abaixa cuidadosamente a maçaneta. Teddy, com muita delicadeza, corre na frente na ponta das patas, abre a porta e volta-se para o dono com olhar de interrogação. Entre as duas camas protegidas com grade há uma pequena mesa com um abajur aceso, coberto com um véu. Gábor dorme sem cobertor, gordinho e arquejante, Eszter ficou suada durante o sono, sua cabeça loira e delicada escorregou do travesseiro e com parte do braço ela segura um Mickey Mouse que a esposa do general, sempre bem-informada sobre as novidades em brinquedos, trouxe de Viena há duas semanas. O juiz coloca-se entre as duas camas, com os dedos muito cuidadosos cobre Gábor e ajeita o travesseiro sob a cabeça de Eszter. Olha a criança adormecida, olha Gábor, que à tarde quis brincar de "três porquinhos", mas não encontrou um terceiro e por isso, ou talvez por outro motivo, ficou nervoso e irritado pelo resto do dia. Agora já se acalmou, o rosto bochechudo está sereno e sorridente. Parece que está tendo sonhos agradáveis. Kristóf contempla absorto o rosto infantil e sorridente. O menino é o novo rebento da árvore dos Kömives; e agora Kristóf Kömives deseja muito que o menino bochechudo tenha sonhos leves e limpos, e que os poderes dos submundos da noite fiquem longe dele; e então talvez o dia para o qual a vida de Gábor Kömives amanhecerá seja luminoso, sem sombras. Permanece parado entre as camas e pensa na sombra que à noite introduziu-se furtivamente na casa. Vai até o quarto de Hertha, para na porta, olha a mulher coberta com os véus da penumbra, examina o rosto da adormecida com olhar atento e sério, inspira profundamente o perfume familiar do quarto, observa o crucifixo e o pote de água benta sobre a cama. "Hertha é uma cristã praticante", pensa. "Conheço seus sonhos. Tudo isso não pode ser um 'equívoco', essa mulher adormecida e as duas crianças dormindo", e sorri triste e cansado. A mulher sente seu olhar, suspira, vira-se, com um gesto inconsciente levanta o braço cândido para o ar e deixa-o cair sobre o cobertor. "Durma", pensa

Kristóf. "Durma tranquila." Já amanheceu. Fecha a porta atrás de si, sai do quarto na ponta dos pés, da atmosfera das vidas que lhe são caras, volta para o escritório e se espreguiça. O que pode fazer agora? Já é tarde para dormir: dali a algumas horas começa o dia oficial, o trabalho. Sente-se como depois de uma longa viagem, cansado, e mesmo assim um pouco excitado: como quem durante a noite atravessou paisagens estranhas e agora alegra-se com o conhecido, o familiar que resplandece diante de seus olhos com a luminosidade da manhã. É, agora vai tomar um banho, fazer a barba, trocar de roupa e talvez, excepcionalmente, tome o café da manhã com as crianças. Pontualmente às dez horas, horário da primeira audiência, estará no gabinete. Deve haver modificações na ordem do dia, de manhã não ocorrerá audiência. Estará lá pontualmente, unindo e separando, apaziguando e dissolvendo, como sempre.

Vai até a janela e olha a rua, que, imersa na luz dourada da manhã, ganha a cada instante traços mais nítidos, a luz e a sombra mais definidas. Encosta um braço no batente. Permanece assim por um longo período. Realmente é aquela sensação similar ao término de uma viagem noturna, quando de manhã, finalmente, avistamos os telhados do lar. Sente formigar em seus membros aquele estado cansado de vigília, de tensão dissolvida, aquela calma leve que vem da certeza de ter escapado de algum perigo trazido pela viagem e pelo desconhecido. Agora permanecerá em casa e, de preferência, não sairá por um bom tempo. Sim, essa é a realidade, essas são as casas da rua, os rostos das pessoas amadas que dormem no quarto ao lado, o trabalho, o mundo visível. É, fez uma longa viagem noite adentro. É necessário viver com humildade, porque entre o dormir e o acordar somos guiados por uma mão desconhecida, uma vontade estranha. Ele quer acreditar; quer acreditar nesse mundo visível e, com humildade, num outro também, que não conhece. Quer servir à família e à outra comunidade, muito maior, que lhe é cara, que jurou servir; quer servir, segundo as leis divinas e humanas. O resto não é problema seu. O resto... esfrega a testa. Seu olhar hesitante volta-se da rua para o retrato do "Primeiro Kristóf" e lá descansa. O olhar tranquilo e impassível do grande juiz se fixa na eternidade; o pintor retratou-o com roupas de gala, é uma figura majestosa, impávida. Ao olhar o quadro, parece ouvir a voz da pessoa desaparecida no tempo: "Acorde, Kristóf Kömives! Acorde e seja forte! Sua tarefa é o dia. Permaneça humilde e forte! Permaneça crente e severo! O mundo é matéria sensível, permaneça seu mestre!". Abaixa a cabeça e enterra o rosto nas mãos.

Por quanto tempo permanece assim? Essa fraqueza é apenas o cansaço do corpo, com certeza nada mais que isso. Hertha logo acordará, então, com a mesma confiança e sinceridade com que sempre conversaram, falarão sobre a vida e a morte, o dia e a noite. Da rua ouve-se o barulho de um carro de leite, depois os pássaros iniciam sua algazarra matinal. As casas, à plena luz da manhã, estão majestosas em seus devidos lugares. Parece que a cidade acordou para um dia quente e úmido de outono. A noite terminou; começa o dia.